Collection Soleil

THÉÂTRE
DE JEAN-PAUL SARTRE

THÉÂTRE
DE JEAN-PAUL SARTRE

JEAN-PAUL SARTRE

THÉÂTRE

I

GALLIMARD

LES MOUCHES

Drame en trois actes

à Charles Dullin

*en témoignage de reconnaissance
et d'amitié.*

PERSONNAGES

Jupiter.
Oreste.
Égisthe.
Le Pédagogue.
Premier Garde.
Deuxième Garde.
Le Grand Prêtre.

Électre.
Clytemnestre.
Une Érinnye.
Une Jeune Femme.
Une Vieille Femme.

Hommes et Femmes du Peuple.
Érinnyes. Serviteurs.
Gardes du Palais.

Cette pièce a été créée au Théâtre de la Cité (direction Charles Dullin) *par :*

MM. Charles Dullin, Joffre, Paul Œtly, Jean Lannier, Norbert, Lucien Arnaud, Marcel d'Orval, Bender.

Mmes Perret, Olga Dominique, Cassan.

ACTE PREMIER

Une place d'Argos. Une statue de Jupiter, dieu des mouches et de la mort. Yeux blancs, face barbouillée de sang.

SCÈNE PREMIÈRE

De Vieilles Femmes vêtues de noir entrent en procession et font des libations devant la statue. Un Idiot, assis par terre au fond. Entrent Oreste et le Pédagogue, puis Jupiter.

ORESTE. — Hé, bonnes femmes !
Elles se retournent toutes en poussant un cri.
LE PÉDAGOGUE. — Pouvez-vous nous dire ?...
Elles crachent par terre en reculant d'un pas.
LE PÉDAGOGUE. — Écoutez, vous autres, nous sommes des voyageurs égarés. Je ne vous demande qu'un renseignement.
Les vieilles femmes s'enfuient en laissant tomber leurs urnes.
LE PÉDAGOGUE. — Vieilles carnes ! Dirait-on pas

que j'en veux à leurs charmes ? Ah ! mon maître,
le plaisant voyage ! Et que vous fûtes bien inspiré
de venir ici quand il y a plus de cinq cents capitales, tant en Grèce qu'en Italie, avec du bon
vin, des auberges accueillantes et des rues popu-
leuses. Ces gens de montagne semblent n'avoir
jamais vu de touristes ; j'ai demandé cent fois
notre chemin dans cette maudite bourgade qui
rissole au soleil. Partout ce sont les mêmes cris
d'épouvante et les mêmes débandades, les lourdes
courses noires dans les rues aveuglantes. Pouah !
Ces rues désertes, l'air qui tremble, et ce soleil...
Qu'y a-t-il de plus sinistre que le soleil ?

Oreste. — Je suis né ici...

Le Pédagogue. — Il paraît. Mais à votre place,
je ne m'en vanterais pas.

Oreste. — Je suis né ici et je dois demander
mon chemin comme un passant. Frappe à cette
porte !

Le Pédagogue. — Qu'est-ce que vous espérez ?
Qu'on vous répondra ? Regardez-les un peu, ces
maisons, et parlez-moi de l'air qu'elles ont. Où
sont leurs fenêtres ? Elles les ouvrent sur des
cours bien closes et bien sombres, j'imagine, et
tournent vers la rue leurs culs... (*Geste d'Oreste.*)
C'est bon. Je frappe, mais c'est sans espoir.

> *Il frappe. Silence. Il frappe encore ; la
> porte s'entrouvre.*

Une Voix. — Qu'est-ce que vous voulez ?

Le Pédagogue. — Un simple renseignement.
Savez-vous où demeure...

> *La porte se referme brusquement.*

Le Pédagogue. — Allez vous faire pendre !
Etes-vous content, seigneur Oreste, et l'expérience

vous suffit-elle ? Je puis, si vous voulez, cogner
à toutes les portes.

ORESTE. — Non, laisse.

LE PÉDAGOGUE. — Tiens ! Mais il y a quelqu'un
ici. (*Il s'approche de l'idiot.*) Monseigneur !

L'IDIOT. — Heu !

LE PÉDAGOGUE, *nouveau salut.* — Monseigneur !

L'IDIOT. — Heu !

LE PÉDAGOGUE. — Daignerez-vous nous indiquer
la maison d'Égisthe ?

L'IDIOT. — Heu !

LE PÉDAGOGUE. — D'Égisthe, le roi d'Argos.

L'IDIOT. — Heu ! Heu !

> *Jupiter passe au fond.*

LE PÉDAGOGUE. — Pas de chance ! Le premier
qui ne s'enfuit pas, il est idiot. (*Jupiter repasse.*)
Par exemple ! Il nous a suivis jusqu'ici.

ORESTE. — Qui ?

LE PÉDAGOGUE. — Le barbu.

ORESTE. — Tu rêves.

LE PÉDAGOGUE. — Je viens de le voir passer.

ORESTE. — Tu te seras trompé.

LE PÉDAGOGUE. — Impossible. De ma vie je n'ai
vu pareille barbe, si j'en excepte une, de bronze,
qui orne le visage de Jupiter Ahenobarbus, à
Palerme. Tenez, le voilà qui repasse. Qu'est-ce
qu'il nous veut ?

ORESTE. — Il voyage, comme nous.

LE PÉDAGOGUE. — Ouais ! Nous l'avons rencontré sur la route de Delphes. Et quand nous nous
sommes embarqués, à Itéa, il étalait déjà sa barbe
sur le bateau. A Nauplie nous ne pouvions faire
un pas sans l'avoir dans nos jambes, et, à pré-

sent, le voilà ici. Cela vous paraît sans doute de
simples coïncidences ? (*Il chasse les mouches de
la main.*) Ah ! ça, les mouches d'Argos m'ont
l'air beaucoup plus accueillantes que les personnes. Regardez celles-ci, mais regardez-les ! (*Il
désigne l'œil de l'idiot.*) Elles sont douze sur son
œil comme sur une tartine, et lui, cependant, il
sourit aux anges, il a l'air d'aimer qu'on lui tète
les yeux. Et, par le fait, il vous sort de ces
mirettes-là un suint blanc qui ressemble à du lait
caillé. (*Il chasse les mouches.*) C'est bon, vous
autres, c'est bon ! Tenez, les voilà sur vous. (*Il
les chasse.*) Eh bien, cela vous met à l'aise : vous
qui vous plaigniez tant d'être un étranger dans
votre propre pays, ces bestioles vous font la fête,
elles ont l'air de vous reconnaître. (*Il les chasse.*)
Allons, paix ! paix ! pas d'effusions ! D'où viennent-elles ? Elles font plus de bruit que des cré-
celles et sont plus grosses que des libellules.

JUPITER, *qui s'était approché.* — Ce ne sont
que des mouches à viande un peu grasses. Il y a
quinze ans qu'une puissante odeur de charogne
les attira sur la ville. Depuis lors elles engraissent.
Dans quinze ans elles auront atteint la taille de
petites grenouilles.

Un silence.

LE PÉDAGOGUE. — A qui avons-nous l'honneur ?

JUPITER. — Mon nom est Démétrios. Je viens
d'Athènes.

ORESTE. — Je crois vous avoir vu sur le bateau,
la quinzaine dernière.

JUPITER. — Je vous ai vu aussi.

Cris horribles dans le palais.

LE PÉDAGOGUE. — Hé là ! Hé là ! Tout cela ne

me dit rien qui vaille et je suis d'avis, mon
maître, que nous ferions mieux de nous en aller.

ORESTE. — Tais-toi.

JUPITER. — Vous n'avez rien à craindre. C'est
la fête des morts aujourd'hui. Ces cris marquent
le commencement de la cérémonie.

ORESTE. — Vous semblez fort renseigné sur
Argos.

JUPITER. — J'y viens souvent. J'étais là, savez-
vous, au retour du roi Agamemnon, quand la
flotte victorieuse des Grecs mouilla dans la rade
de Nauplie. On pouvait apercevoir les voiles
blanches du haut des remparts. (*Il chasse les
mouches.*) Il n'y avait pas encore de mouches,
alors. Argos n'était qu'une petite ville de province, qui s'ennuyait indolemment sous le soleil.
Je suis monté sur le chemin de ronde avec les
autres, les jours qui suivirent, et nous avons longuement regardé le cortège royal qui cheminait
dans la plaine. Au soir du deuxième jour la reine
Clytemnestre parut sur les remparts, accompa-
gnée d'Égisthe, le roi actuel. Les gens d'Argos
virent leurs visages rougis par le soleil couchant ;
ils les virent se pencher au-dessus des créneaux
et regarder longtemps vers la mer ; et ils pen-
sèrent : « Il va y avoir du vilain. » Mais ils ne
dirent rien. Égisthe, vous devez le savoir, c'était
l'amant de la reine Clytemnestre. Un ruffian qui,
à l'époque, avait déjà de la propension à la
mélancolie. Vous semblez fatigué ?

ORESTE. — C'est la longue marche que j'ai
faite et cette maudite chaleur. Mais vous m'inté-
ressez.

JUPITER. — Agamemnon était bon homme, mais

2

il eut un grand tort, voyez-vous. Il n'avait pas
permis que les exécutions capitales eussent lieu
en public. C'est dommage. Une bonne pendaison,
cela distrait, en province, et cela blase un peu
les gens sur la mort. Les gens d'ici n'ont rien dit,
parce qu'ils s'ennuyaient et qu'ils voulaient voir
une mort violente. Ils n'ont rien dit quand ils
ont vu leur roi paraître aux portes de la ville.
Et quand ils ont vu Clytemnestre lui tendre ses
beaux bras parfumés, ils n'ont rien dit. A ce
moment-là il aurait suffi d'un mot, d'un seul
mot, mais ils se sont tus, et chacun d'eux avait,
dans sa tête, l'image d'un grand cadavre à la face
éclatée.

ORESTE. — Et vous, vous n'avez rien dit ?

JUPITER. — Cela vous fâche, jeune homme ?
J'en suis fort aise ; voilà qui prouve vos bons
sentiments. Eh bien non, je n'ai pas parlé : je
ne suis pas d'ici, et ce n'étaient pas mes affaires.
Quant aux gens d'Argos, le lendemain, quand ils
ont entendu leur roi hurler de douleur dans le
palais, ils n'ont rien dit encore, ils ont baissé
leurs paupières sur leurs yeux retournés de
volupté, et la ville tout entière était comme une
femme en rut.

ORESTE. — Et l'assassin règne. Il a connu
quinze ans de bonheur. Je croyais les Dieux
justes.

JUPITER. — Hé là ! N'incriminez pas les Dieux
si vite. Faut-il donc toujours punir ? Valait-il pas
mieux tourner ce tumulte au profit de l'ordre
moral ?

ORESTE. — C'est ce qu'ils ont fait ?

JUPITER. — Ils ont envoyé les mouches.

Le Pédagogue. — Qu'est-ce que les mouches ont à faire là dedans ?

Jupiter. — Oh ! c'est un symbole. Mais ce qu'ils ont fait, jugez-en sur ceci : vous voyez cette vieille cloporte, là-bas, qui trottine de ses petites pattes noires, en rasant les murs ; c'est un beau spécimen de cette faune noire et plate qui grouille dans les lézardes. Je bondis sur l'insecte, je le saisis et je vous le ramène. (*Il saute sur la vieille et la ramène sur le devant de la scène.*) Voilà ma pêche. Regardez-moi l'horreur ! Hou ! Tu clignes des yeux, et pourtant vous êtes habitués, vous autres, aux glaives rougis à blanc du soleil. Voyez ces soubresauts de poisson au bout d'une ligne. Dis-moi, la vieille, il faut que tu aies perdu des douzaines de fils : tu es noire de la tête aux pieds. Allons, parle et je te lâcherai peut-être. De qui portes-tu le deuil ?

La Vieille. — C'est le costume d'Argos.

Jupiter. — Le costume d'Argos ? Ah ! je comprends. C'est le deuil de ton roi que tu portes, de ton roi assassiné.

La Vieille. — Tais-toi ! Pour l'amour de Dieu, tais-toi !

Jupiter. — Car tu es assez vieille pour les avoir entendus, toi, ces énormes cris qui ont tourné en rond tout un matin dans les rues de la ville. Qu'as-tu fait ?

La Vieille. — Mon homme était aux champs, que pouvais-je faire ? J'ai verrouillé ma porte.

Jupiter. — Oui, et tu as entrouvert ta fenêtre pour mieux entendre, et tu t'es mise aux aguets derrière tes rideaux, le souffle coupé, avec une drôle de chatouille au creux des reins.

La Vieille. — Tais-toi !

Jupiter. — Tu as rudement bien dû faire l'amour cette nuit-là. C'était une fête, hein ?

La Vieille. — Ah ! Seigneur, c'était... une horrible fête.

Jupiter. — Une fête rouge dont vous n'avez pu enterrer le souvenir.

La Vieille. — Seigneur ! Etes-vous un mort ?

Jupiter. — Un mort ! Va, va, folle ! Ne te soucie pas de ce que je suis ; tu feras mieux de t'occuper de toi-même et de gagner le pardon du Ciel par ton repentir.

La Vieille. — Ah ! je me repens, Seigneur, si vous saviez comme je me repens, et ma fille aussi se repent, et mon gendre sacrifie une vache tous les ans, et mon petit-fils, qui va sur ses sept ans, nous l'avons élevé dans la repentance : il est sage comme une image, tout blond et déjà pénétré par le sentiment de sa faute originelle.

Jupiter. — C'est bon, va-t'en, vieille ordure, et tâche de crever dans le repentir. C'est ta seule chance de salut. (La vieille s'enfuit.) Ou je me trompe fort, mes maîtres, ou voilà de la bonne piété, à l'ancienne, solidement assise sur la terreur.

Oreste. — Quel homme êtes-vous ?

Jupiter. — Qui se soucie de moi ? Nous parlions des Dieux. Eh bien, fallait-il foudroyer Égisthe ?

Oreste. — Il fallait... Ah ! je ne sais pas ce qu'il fallait, et je m'en moque ; je ne suis pas d'ici. Est-ce qu'Égisthe se repent ?

Jupiter. — Égisthe ? J'en serais bien étonné. Mais qu'importe. Toute une ville se repent pour lui. Ça se compte au poids, le repentir. (*Cris horribles dans le palais.*) Écoutez ! Afin qu'ils n'oublient jamais les cris d'agonie de leur roi, un bouvier choisi pour sa voix forte hurle ainsi, à chaque anniversaire, dans la grande salle du palais. (*Oreste fait un geste de dégoût.*) Bah ! ce n'est rien ; que direz-vous tout à l'heure, quand on lâchera les morts. Il y a quinze ans, jour pour jour, qu'Agamemnon fut assassiné. Ah ! qu'il a changé depuis, le peuple léger d'Argos, et qu'il est proche à présent de mon cœur !

Oreste. — De *votre* cœur ?

Jupiter. — Laissez, laissez, jeune homme. Je parlais pour moi-même. J'aurais dû dire : proche du cœur des Dieux.

Oreste. — Vraiment ? Des murs barbouillés de sang, des millions de mouches, une odeur de boucherie, une chaleur de cloporte, des rues désertes, un dieu à face d'assassiné, des larves terrorisées qui se frappent la poitrine au fond de leurs maisons — et ces cris, ces cris insupportables : est-ce là ce qui plaît à Jupiter ?

Jupiter. — Ah ! ne jugez pas les Dieux, jeune homme, ils ont des secrets douloureux.

Un silence.

Oreste. — Agamemnon avait une fille, je crois ? Une fille du nom d'Électre ?

Jupiter. — Oui. Elle vit ici. Dans le palais d'Égisthe — que voilà.

Oreste. — Ah ! c'est le palais d'Égisthe ? — Et que pense Électre de tout ceci ?

Jupiter. — Bah ! C'est une enfant. Il y avait un fils aussi, un certain Oreste. On le dit mort.

Oreste. — Mort ! Parbleu...

LE PÉDAGOGUE. — Mais oui, mon maître, vous savez bien qu'il est mort. Les gens de Nauplie nous ont conté qu'Égisthe avait donné l'ordre de l'assassiner, peu après la mort d'Agamemnon.

JUPITER. — Certains ont prétendu qu'il était vivant. Ses meurtriers, pris de pitié, l'auraient abandonné dans la forêt. Il aurait été recueilli et élevé par de riches bourgeois d'Athènes. Pour moi, je souhaite qu'il soit mort.

ORESTE. — Pourquoi, s'il vous plaît ?

JUPITER. — Imaginez qu'il se présente un jour aux portes de cette ville...

ORESTE. — Eh bien ?

JUPITER. — Bah ! Tenez, si je le rencontrais alors, je lui dirais... je lui dirais ceci : « Jeune homme... » Je l'appellerais : jeune homme, car il a votre âge, à peu près, s'il vit. A propos, Seigneur, me direz-vous votre nom ?

ORESTE. — Je me nomme Philèbe et je suis de Corinthe. Je voyage pour m'instruire, avec un esclave qui fut mon précepteur.

JUPITER. — Parfait. Je dirais donc : « Jeune homme, allez-vous-en ! Que cherchez-vous ici ? Vous voulez faire valoir vos droits ? Eh ! vous êtes ardent et fort, vous feriez un brave capitaine dans une armée bien batailleuse, vous avez mieux à faire qu'à régner sur une ville à demi morte, une charogne de ville tourmentée par les mouches. Les gens d'ici sont de grands pécheurs, mais voici qu'ils se sont engagés dans la voie du rachat. Laissez-les, jeune homme, laissez-les, respectez leur douloureuse entreprise, éloignez-vous sur la pointe des pieds. Vous ne sauriez partager leur repentir, car vous n'avez pas eu de part à leur

crime, et votre impertinente innocence vous sépare d'eux comme un fossé profond. Allez-vous-
en, si vous les aimez un peu. Allez-vous-en, car
vous allez les perdre : pour peu que vous les
arrêtiez en chemin, que vous les détourniez, fût-ce
un instant, de leurs remords, toutes leurs fautes
vont se figer sur eux comme de la graisse refroi-
die. Ils ont mauvaise conscience, ils ont peur —
et la peur, la mauvaise conscience ont un fumet
délectable pour les narines des Dieux. Oui, elles
plaisent aux Dieux, ces âmes pitoyables. Vou-
driez-vous leur ôter la faveur divine ? Et que leur
donnerez-vous en échange ? Des digestions tranquilles, la paix morose des provinces et l'ennui,
ah ! l'ennui si quotidien du bonheur. Bon voyage,
jeune homme, bon voyage ; l'ordre d'une cité et
l'ordre des âmes sont instables : si vous y touchez, vous provoquerez une catastrophe. (*Le regardant dans les yeux.*) Une terrible catastrophe
qui retombera sur vous.

ORESTE. — Vraiment ? C'est là ce que vous
diriez ? Eh bien, si j'étais, moi, ce jeune homme,
je vous répondrais... (*Ils se mesurent du regard ;
le Pédagogue tousse.*) Bah ! Je ne sais pas ce que
je vous répondrais. Peut-être avez-vous raison, et
puis cela ne me regarde pas.

JUPITER. — A la bonne heure. Je souhaiterais
qu'Oreste fût aussi raisonnable. Allons, la paix
soit sur vous ; il faut que j'aille à mes affaires.

ORESTE. — La paix soit sur vous.

JUPITER. — A propos, si ces mouches vous
ennuient, voici le moyen de vous en débarrasser ;
regardez cet essaim qui vrombit autour de vous :
je fais un mouvement du poignet, un geste du

bras, et je dis : « Abraxas, galla, galla, tsé, tsé. »
Et voyez : les voilà qui dégringolent et qui se
mettent à ramper par terre comme des chenilles.

ORESTE. — Par Jupiter !

JUPITER. — Ce n'est rien. Un petit talent de
société. Je suis charmeur de mouches, à mes
heures. Bonjour. Je vous reverrai.

Il sort.

SCÈNE II

ORESTE, LE PÉDAGOGUE

LE PÉDAGOGUE. — Méfiez-vous. Cet homme-là
sait qui vous êtes.

ORESTE. — Est-ce un homme ?

LE PÉDAGOGUE. — Ah ! mon maître, que vous
me peinez ! Que faites-vous donc de mes leçons
et de ce scepticisme souriant que je vous ensei-
gnai ? « Est-ce un homme ? » Parbleu, il n'y a
que des hommes, et c'est déjà bien assez. Ce
barbu est un homme, quelque espion d'Égisthe.

ORESTE. — Laisse ta philosophie. Elle m'a fait
trop de mal.

LE PÉDAGOGUE. — Du mal ! Est-ce donc nuire
aux gens que de leur donner la liberté d'esprit.
Ah ! comme vous avez changé ! Je lisais en vous
autrefois... Me direz-vous enfin ce que vous médi-
tez ? Pourquoi m'avoir entraîné ici ? Et qu'y voulez-vous faire ?

ORESTE. — T'ai-je dit que j'avais quelque chose
à y faire ? Allons ! tais-toi. (*Il s'approche du*

palais.) Voilà *mon* palais. C'est là que mon père est né. C'est là qu'une putain et son maquereau l'ont assassiné. J'y suis né aussi, moi. J'avais près de trois ans quand les soudards d'Égisthe m'emportèrent. Nous sommes sûrement passés par cette porte ; l'un d'eux me tenait dans ses bras, j'avais les yeux grands ouverts et je pleurais sans doute... Ah ! pas le moindre souvenir. Je vois une grande bâtisse muette, guindée dans sa solennité provinciale. Je la *vois* pour la première fois.

LE PÉDAGOGUE. — Pas de souvenirs, maître ingrat, quand j'ai consacré dix ans de ma vie à vous en donner ? Et tous ces voyages que nous fîmes ? Et ces villes que nous visitâmes ? Et ce cours d'archéologie que je professai pour vous seul ? Pas de souvenirs ? Il y avait naguère tant de palais, de sanctuaires et de temples pour peupler votre mémoire, que vous eussiez pu, comme le géographe Pausanias, écrire un guide de Grèce.

ORESTE. — Des palais ! C'est vrai. Des palais, des colonnes, des statues ! Pourquoi ne suis-je pas plus lourd, moi qui ai tant de pierres dans la tête ? Et les trois cent quatre-vingt-sept marches du temple d'Éphèse, tu ne m'en parles pas ? Je les ai gravies une à une, et je me les rappelle toutes. La dix-septième, je crois, était brisée. Ah ! un chien, un vieux chien qui se chauffe, couché près du foyer, et qui se soulève un peu, à l'entrée de son maître, en gémissant doucement pour le saluer, un chien a plus de mémoire que moi : c'est *son* maître qu'il reconnaît. *Son* maître. Et qu'est-ce qui est à moi ?

LE PÉDAGOGUE. — Que faites-vous de la culture, Monsieur ? Elle est à vous, votre culture, et je vous l'ai composée avec amour, comme un bouquet, en assortissant les fruits de ma sagesse et les trésors de mon expérience. Ne vous ai-je pas fait, de bonne heure, lire tous les livres pour vous familiariser avec la diversité des opinions humaines et parcourir cent Etats, en vous remontrant en chaque circonstance comme c'est chose variable que les mœurs des hommes. A présent vous voilà jeune, riche et beau, avisé comme un vieillard, affranchi de toutes les servitudes et de toutes les croyances, sans famille, sans patrie, sans religion, sans métier, libre pour tous les engagements et sachant qu'il ne faut jamais s'engager, un homme supérieur enfin, capable par surcroît d'enseigner la philosophie ou l'architecture dans une grande ville universitaire, et vous vous plaignez !

ORESTE. — Mais non : je ne me plains pas. Je ne peux pas me plaindre : tu m'as laissé la liberté de ces fils que le vent arrache aux toiles d'araignée et qui flottent à dix pieds du sol ; je ne pèse pas plus qu'un fil et je vis en l'air. Je sais que c'est une chance et je l'apprécie comme il convient. (*Un temps.*) Il y a des hommes qui naissent engagés : ils n'ont pas le choix, on les a jetés sur un chemin, au bout du chemin il y a un acte qui les attend, *leur* acte ; ils vont, et leurs pieds nus pressent fortement la terre et s'écorchent aux cailloux. Ça te paraît vulgaire, à toi, la joie d'aller *quelque part* ? Et il y en a d'autres, des silencieux, qui sentent au fond de leur cœur le poids d'images troubles et terrestres ; leur vie a été changée parce que, un jour de leur enfance, à cinq ans, à sept ans... C'est bon : ce ne sont

pas des hommes supérieurs. Je savais déjà, moi,
à sept ans, que j'étais exilé ; les odeurs et les
sons, le bruit de la pluie sur les toits, les trem-
blements de la lumière, je les laissais glisser le
long de mon corps et tomber autour de moi ; je
savais qu'ils appartenaient aux autres, et que je
ne pourrais jamais en faire *mes* souvenirs. Car les
souvenirs sont de grasses nourritures pour ceux
qui possèdent les maisons, les bêtes, les domestiques et les champs. Mais moi... Moi, je suis
libre, Dieu merci. Ah ! comme je suis libre. Et
quelle superbe absence que mon âme. (*Il s'approche du palais.*) J'aurais vécu là. Je n'aurais
lu aucun de tes livres, et peut-être je n'aurais
pas su lire : il est rare qu'un prince sache lire.
Mais, par cette porte, je serais entré et sorti dix
mille fois. Enfant, j'aurais joué avec ses battants,
je me serais arc-bouté contre eux, ils auraient
grincé sans céder, et mes bras auraient appris
leur résistance. Plus tard, je les aurais poussés,
la nuit, en cachette, pour aller retrouver des
filles. Et, plus tard encore, au jour de ma majo-
rité, les esclaves auraient ouvert la porte toute
grande et j'en aurais franchi le seuil à cheval.
Ma vieille porte de bois. Je saurais trouver, les
yeux fermés, ta serrure. Et cette éraflure, là, en
bas, c'est moi peut-être qui te l'aurais faite, par
maladresse, le premier jour qu'on m'aurait confié
une lance. (*Il s'écarte.*) Style petit-dorien, pas
vrai ? Et que dis-tu des incrustations d'or ? J'ai
vu les pareilles à Dodone : c'est du beau travail.
Allons, je vais te faire plaisir : ce n'est pas *mon*
palais, ni *ma* porte. Et nous n'avons rien à faire
ici.

LE PÉDAGOGUE. — Vous voilà raisonnable. Qu'auriez-vous gagné à y vivre ? Votre âme, à l'heure qu'il est, serait terrorisée par un abject repentir.

ORESTE, *avec éclat.* — Au moins serait-il à moi. Et cette chaleur qui roussit mes cheveux, elle serait à moi. A moi le bourdonnement de ces mouches. A cette heure-ci, nu dans une chambre sombre du palais, j'observerais par la fente d'un volet la couleur rouge de la lumière, j'attendrais que le soleil décline et que monte du sol, comme une odeur, l'ombre fraîche d'un soir d'Argos, pareil à cent mille autres et toujours neuf, l'ombre d'un soir à moi. Allons-nous-en, pédagogue ; est-ce que tu ne comprends pas que nous sommes en train de croupir dans la chaleur des autres ?

LE PÉDAGOGUE. — Ah ! Seigneur, que vous me rassurez. Ces derniers mois — pour être exact, depuis que je vous ai révélé votre naissance — je vous voyais changer de jour en jour, et je ne dormais plus. Je craignais...

ORESTE. — Quoi ?

LE PÉDAGOGUE. — Mais vous allez vous fâcher.

ORESTE. — Non. Parle.

LE PÉDAGOGUE. — Je craignais — on a beau s'être entraîné de bonne heure à l'ironie sceptique, il vous vient parfois de sottes idées — bref, je me demandais si vous ne méditiez pas de chasser Égisthe et de prendre sa place.

ORESTE, *lentement.* — Chasser Égisthe ? (*Un temps.*) Tu peux te rassurer, bonhomme, il est trop tard. Ce n'est pas l'envie qui me manque, de saisir par la barbe ce ruffian de sacristie et

de l'arracher du trône de mon père. Mais quoi ?
qu'ai-je à faire avec ces gens ? Je n'ai pas vu
naître un seul de leurs enfants, ni assisté aux
noces de leurs filles, je ne partage pas leurs
remords et je ne connais pas un seul de leurs
noms. C'est le barbu qui a raison : un roi doit
avoir les mêmes souvenirs que ses sujets. Lais-
sons-les, bonhomme. Allons-nous-en. Sur la pointe
des pieds. Ah ! s'il était un acte, vois-tu, un acte
qui me donnât droit de cité parmi eux ; si je
pouvais m'emparer, fût-ce par un crime, de leurs
mémoires, de leur terreur et de leurs espérances
pour combler le vide de mon cœur, dussé-je tuer
ma propre mère...

LE PÉDAGOGUE. — Seigneur !

ORESTE. — Oui. Ce sont des songes. Partons.
Vois si l'on pourra nous procurer des chevaux,
et nous pousserons jusqu'à Sparte, où j'ai des
amis.

Entre Électre.

SCÈNE III

LES MÊMES, ÉLECTRE

ÉLECTRE, *portant une caisse, s'approche sans
les voir de la statue de Jupiter.* — Ordure ! Tu
peux me regarder, va ! avec tes yeux ronds dans
ta face barbouillée de jus de framboise, tu ne me
fais pas peur. Dis, elles sont venues, ce matin,
les saintes femmes, les vieilles toupies en robe
noire. Elles ont fait craquer leurs gros souliers

autour de toi. Tu étais content, hein, croquemi-
taine, tu les aimes, les vieilles ; plus elles ressemblent à des mortes et plus tu les aimes. Elles
ont répandu à tes pieds leurs vins les plus précieux parce que c'est ta fête, et des relents moisis
montaient de leurs jupes à ton nez ; tes narines
sont encore chatouillées de ce parfum délectable.
(*Se frottant à lui.*) Eh bien, sens-moi, à présent,
sens mon odeur de chair fraîche. Je suis jeune,
moi, je suis vivante, ça doit te faire horreur. Moi
aussi, je viens te faire mes offrandes pendant que
toute la ville est en prières. Tiens : voilà des
épluchures et toute la cendre du foyer, et de
vieux bouts de viande grouillants de vers, et un
morceau de pain souillé, dont nos porcs n'ont pas
voulu, elles aimeront ça, tes mouches. Bonne
fête, va, bonne fête, et souhaitons que ce soit la
dernière. Je ne suis pas bien forte et je ne peux
pas te flanquer par terre. Je peux te cracher dessus, c'est tout ce que je peux faire. Mais il viendra, celui que j'attends, avec sa grande épée. Il
te regardera en rigolant, comme ça, les mains sur
les hanches et renversé en arrière. Et puis il
tirera son sabre et il te fendra de haut en bas,
comme ça ! Alors les deux moitiés de Jupiter
dégringoleront, l'une à gauche, l'autre à droite,
et tout le monde verra qu'il est en bois blanc. Il
est en bois tout blanc, le dieu des morts. L'horreur et le sang sur le visage et le vert sombre des
yeux, ça n'est qu'un vernis, pas vrai ? Toi, tu
sais que tu es tout blanc à l'intérieur, blanc
comme un corps de nourrisson ; tu sais qu'un
coup de sabre te fendra net et que tu ne pourras
même pas saigner. Du bois blanc ! Du bon bois

blanc : ça brûle bien. (*Elle aperçoit Oreste.*) Ah !

ORESTE. — N'aie pas peur.

ÉLECTRE. — Je n'ai pas peur. Pas peur du tout. Qui es-tu ?

ORESTE. — Un étranger.

ÉLECTRE. — Sois le bienvenu. Tout ce qui est étranger à cette ville m'est cher. Quel est ton nom ?

ORESTE. — Je m'appelle Philèbe et je suis de Corinthe.

ÉLECTRE. — Ah ? De Corinthe ? Moi, on m'appelle Électre.

ORESTE. — Électre. (*Au Pédagogue.*) Laisse-nous.

Le Pédagogue sort.

SCÈNE IV

ORESTE, ÉLECTRE

ÉLECTRE. — Pourquoi me regardes-tu ainsi ?

ORESTE. — Tu es belle. Tu ne ressembles pas aux gens d'ici.

ÉLECTRE. — Belle ? Tu es sûr que je suis belle ? Aussi belle que les filles de Corinthe ?

ORESTE. — Oui.

ÉLECTRE. — Ils ne me le disent pas, ici. Ils ne veulent pas que je le sache. D'ailleurs à quoi ça me sert-il, je ne suis qu'une servante.

ORESTE. — Servante ? Toi ?

ÉLECTRE. — La dernière des servantes. Je lave le linge du roi et de la reine. C'est un linge fort sale et plein d'ordures. Tous leurs dessous, les chemises qui ont enveloppé leurs corps pourris, celle que revêt Clytemnestre quand le roi partage sa couche : il faut que je lave tout ça. Je ferme les yeux et je frotte de toutes mes forces. Je fais la vaisselle aussi. Tu ne me crois pas ? Regarde mes mains. Il y en a, hein, des gerçures et des crevasses ? Quels drôles d'yeux tu fais. Est-ce qu'elles auraient l'air, par hasard, de mains de princesse ?

ORESTE. — Pauvres mains. Non. Elles n'ont pas l'air de mains de princesse. Mais poursuis. Qu'est-ce qu'ils te font faire encore ?

ÉLECTRE. — Eh bien, tous les matins, je dois vider la caisse d'ordures. Je la traîne hors du palais et puis... tu as vu ce que j'en fais, des ordures. Ce bonhomme de bois, ce Jupiter, dieu de la mort et des mouches. L'autre jour, le Grand Prêtre, qui venait lui faire ses courbettes, a marché sur des trognons de choux et de navets, sur des coques de moules. Il a pensé perdre l'esprit. Dis, vas-tu me dénoncer ?

ORESTE. — Non.

ÉLECTRE. — Dénonce-moi si tu veux, je m'en moque. Qu'est-ce qu'ils peuvent me faire de plus ? Me battre ? Ils m'ont déjà battue. M'enfermer dans une grande tour, tout en haut ? Ça ne serait pas une mauvaise idée, je ne verrais plus leurs visages. Le soir, imagine, quand j'ai fini mon travail, ils me récompensent : il faut que je m'approche d'une grosse et grande femme aux cheveux teints. Elle a des lèvres grasses et des mains très blanches, des mains de reine qui sentent le miel. Elle pose ses mains sur mes épaules, elle colle ses lèvres sur mon front, elle dit : « Bonsoir, Électre. » Tous les soirs. Tous les soirs je sens vivre contre ma peau cette viande chaude et goulue. Mais je me tiens, je ne suis jamais tombée. C'est ma mère, tu comprends. Si j'étais dans la tour, elle ne m'embrasserait plus.

ORESTE. — Tu n'as jamais songé à t'enfuir ?

ÉLECTRE. — Je n'ai pas ce courage-là : j'aurais peur, seule sur les routes.

ORESTE. — N'as-tu pas une amie qui puisse t'accompagner ?

ÉLECTRE. — Non, je n'ai que moi. Je suis une gale, une peste : les gens d'ici te le diront. Je n'ai pas d'amies.

ORESTE. — Quoi, pas même une nourrice, une vieille femme qui t'ait vue naître et qui t'aime un peu ?

ÉLECTRE. — Pas même. Demande à ma mère : je découragerais les cœurs les plus tendres.

ORESTE. — Et tu demeureras ici toute ta vie ?

ÉLECTRE, *dans un cri.* — Ah ! pas toute ma vie ! Non ; écoute ; j'attends quelque chose.

ORESTE. — Quelque chose ou quelqu'un ?

ÉLECTRE. — Je ne te le dirai pas. Parle plutôt. Tu es beau, toi aussi. Vas-tu rester longtemps ?

ORESTE. — Je devais partir aujourd'hui même. Et puis à présent...

ÉLECTRE. — A présent ?

ORESTE. — Je ne sais plus.

ÉLECTRE. — C'est une belle ville, Corinthe ?

ORESTE. — Très belle.

ÉLECTRE. — Tu l'aimes bien ? Tu en es fier ?

ORESTE. — Oui.

ÉLECTRE. — Ça me semblerait drôle, à moi, d'être fière de ma ville natale. Explique-moi.

ORESTE. — Eh bien... Je ne sais pas. Je ne peux pas t'expliquer.

ÉLECTRE. — Tu ne *peux* pas ? (*Un temps.*) C'est vrai qu'il y a des places ombragées à Corinthe ? Des places où l'on se promène le soir ?

ORESTE. — C'est vrai.

ÉLECTRE. — Et tout le monde est dehors ? Tout le monde se promène ?

ORESTE. — Tout le monde.

ÉLECTRE. — Les garçons avec les filles ?

ORESTE. — Les garçons avec les filles.

ÉLECTRE. — Et ils ont toujours quelque chose à se dire ? Et ils se plaisent bien les uns avec les autres ? Et on les entend, tard dans la nuit, rire ensemble ?

ORESTE. — Oui.

ÉLECTRE. — Je te parais niaise ? C'est que j'ai tant de peine à imaginer des promenades, des chants, des sourires. Les gens d'ici sont rongés par la peur. Et moi...

ORESTE. — Toi ?

ÉLECTRE. — Par la haine. Et qu'est-ce qu'elles font toute la journée, les jeunes filles de Corinthe ?

ORESTE. — Elles se parent, et puis elle chantent ou elles touchent du luth, et puis elles rendent visite à leurs amies et, le soir, elles vont au bal.

ÉLECTRE. — Et elles n'ont aucun souci ?

ORESTE. — Elles en ont de tout petits.

ÉLECTRE. — Ah ? Écoute-moi : les gens de Corinthe, est-ce qu'ils ont des remords ?

ORESTE. — Quelquefois. Pas souvent.

ÉLECTRE. — Alors ils font ce qu'ils veulent et puis après ils n'y pensent plus ?

ORESTE. — C'est cela.

ÉLECTRE. — C'est drôle. (*Un temps.*) Et dis-moi encore ceci, car j'ai besoin de le savoir à cause de quelqu'un... de quelqu'un que j'attends : suppose qu'un gars de Corinthe, un de ces gars qui rient le soir avec les filles, trouve, au retour d'un voyage, son père assassiné, sa mère dans le lit du meurtrier et sa sœur en esclavage, est-ce qu'il filerait doux, le gars de Corinthe, est-ce qu'il s'en irait à reculons, en faisant des révérences, chercher des consolations auprès de ses amies ? ou bien est-ce qu'il sortirait son épée et est-ce qu'il cognerait sur l'assassin jusqu'à lui faire éclater la tête ? — Tu ne réponds pas ?

ORESTE. — Je ne sais pas.

ÉLECTRE. — Comment ? Tu ne sais pas ?

Voix de Clytemnestre. — Électre !

ÉLECTRE. — Chut.

ORESTE. — Qu'y a-t-il ?

ÉLECTRE. — C'est ma mère, la reine Clytemnestre.

SCÈNE V

ORESTE, ÉLECTRE, CLYTEMNESTRE

ÉLECTRE. — Eh bien, Philèbe ? Elle te fait donc peur ?

ORESTE. — Cette tête, j'ai tenté cent fois de

l'imaginer et j'avais fini par la *voir*, lasse et molle sous l'éclat des fards. Mais je ne m'attendais pas à ces yeux morts.

CLYTEMNESTRE. — Électre, le roi t'ordonne de t'apprêter pour la cérémonie. Tu mettras ta robe noire et tes bijoux. Eh bien ? Que signifient ces yeux baissés ? Tu serres les coudes contre tes hanches maigres, ton corps t'embarrasse... Tu es souvent ainsi en ma présence ; mais je ne me laisserai plus prendre à ces singeries : tout à l'heure, par la fenêtre, j'ai vu une autre Électre, aux gestes larges, aux yeux pleins de feu... Me regarderas-tu en face ? Me répondras-tu, à la fin ?

ÉLECTRE. — Avez-vous besoin d'une souillon pour rehausser l'éclat de votre fête ?

CLYTEMNESTRE. — Pas de comédie. Tu es princesse, Électre, et le peuple t'attend, comme chaque année.

ÉLECTRE. — Je suis princesse, en vérité ? Et vous vous en souvenez une fois l'an, quand le peuple réclame un tableau de notre vie de famille pour son édification ? Belle princesse, qui lave la vaisselle et garde les cochons ! Égisthe m'entourera-t-il les épaules de son bras, comme l'an dernier, et sourira-t-il contre ma joue en murmurant à mon oreille des paroles de menace ?

CLYTEMNESTRE. — Il dépend de toi qu'il en soit autrement.

ÉLECTRE. — Oui, si je me laisse infecter par vos remords et si j'implore le pardon des Dieux pour un crime que je n'ai pas commis. Oui, si je baise les mains d'Égisthe en l'appelant mon père. Pouah ! Il a du sang séché sous les ongles.

CLYTEMNESTRE. — Fais ce que tu veux. Il y a

longtemps que j'ai renoncé à te donner des ordres en mon nom. Je t'ai transmis ceux du roi.

ÉLECTRE. — Qu'ai-je à faire des ordres d'Égisthe ? C'est votre mari, ma mère, votre très cher mari, non le mien.

CLYTEMNESTRE. — Je n'ai rien à te dire, Électre. Je vois que tu travailles à ta perte et à la nôtre. Mais comment te conseillerais-je, moi qui ai ruiné ma vie en un seul matin ? Tu me hais, mon enfant, mais ce qui m'inquiète davantage, c'est que tu me ressembles : j'ai eu ce visage pointu, ce sang inquiet, ces yeux sournois — et il n'en est rien sorti de bon.

ÉLECTRE. — Je ne veux pas vous ressembler ! Dis, Philèbe, toi qui nous vois toutes deux, l'une près de l'autre, ça n'est pas vrai, je ne lui ressemble pas ?

ORESTE. — Que dire ? Son visage semble un champ ravagé par la foudre et la grêle. Mais il y a sur le tien comme une promesse d'orage : un jour la passion va le brûler jusqu'à l'os.

ÉLECTRE. — Une promesse d'orage ? Soit. Cette ressemblance-là, je l'accepte. Puisses-tu dire vrai.

CLYTEMNESTRE. — Et toi ? Toi qui dévisages ainsi les gens, qui donc es-tu ? Laisse-moi te regarder à mon tour. Et que fais-tu ici ?

ÉLECTRE, *vivement*. — C'est un Corinthien du nom de Philèbe. Il voyage.

CLYTEMNESTRE. — Philèbe ? Ah !

ÉLECTRE. — Vous sembliez craindre un autre nom ?

CLYTEMNESTRE. — Craindre ? Si j'ai gagné quelque chose à me perdre, c'est que je ne peux plus rien craindre, à présent. Approche, étranger, et sois le bienvenu. Comme tu es jeune. Quel âge as-tu donc ?

ORESTE. — Dix-huit ans.

CLYTEMNESTRE. — Tes parents vivent encore ?

ORESTE. — Mon père est mort.

CLYTEMNESTRE. — Et ta mère ? Elle doit avoir mon âge à peu près ? Tu ne dis rien ? C'est qu'elle te paraît plus jeune que moi sans doute, elle peut encore rire et chanter en ta compagnie. L'aimes-tu ? Mais réponds ! Pourquoi l'as-tu quittée ?

ORESTE. — Je vais m'engager à Sparte, dans les troupes mercenaires.

CLYTEMNESTRE. — Les voyageurs font à l'ordinaire un détour de vingt lieues pour éviter notre ville. On ne t'a donc pas prévenu ? Les gens de la plaine nous ont mis en quarantaine : ils regardent notre repentir comme une peste, et ils ont peur d'être contaminés.

ORESTE. — Je le sais.

CLYTEMNESTRE. — Ils t'ont dit qu'un crime inexpiable, commis voici quinze ans, nous écrasait ?

ORESTE. — Ils me l'ont dit.

CLYTEMNESTRE. — Que la reine Clytemnestre était la plus coupable ? Que son nom était maudit entre tous ?

ORESTE. — Ils me l'ont dit.

CLYTEMNESTRE. — Et tu es venu pourtant ? Étranger, je suis la reine Clytemnestre.

ÉLECTRE. — Ne t'attendris pas, Philèbe, la reine se divertit à notre jeu national : le jeu des confessions publiques. Ici, chacun crie ses péchés à la face de tous ; et il n'est pas rare, aux jours fériés, de voir quelque commerçant, après avoir baissé le rideau de fer de sa boutique, se traîner sur les genoux dans les rues, frottant ses cheveux de poussière et hurlant qu'il est un assassin, un adultère ou un prévaricateur. Mais les gens d'Argos commencent à se blaser : chacun connaît par cœur les crimes des autres ; ceux de la reine en particulier n'amusent plus personne, ce sont des crimes officiels, des crimes de fondation, pour ainsi dire. Je te laisse à penser sa joie lorsqu'elle t'a vu, tout jeune, tout neuf, ignorant jusqu'à son nom : quelle occasion exceptionnelle ! Il lui semble qu'elle se confesse pour la première fois.

CLYTEMNESTRE. — Tais-toi. N'importe qui peut me cracher au visage, en m'appelant criminelle et prostituée. Mais personne n'a le droit de juger mes remords.

ÉLECTRE. — Tu vois, Philèbe : c'est la règle du jeu. Les gens vont t'implorer pour que tu les condamnes. Mais prends bien garde de ne les juger que sur les fautes qu'ils t'avouent : les autres ne regardent personne, et ils te sauraient mauvais gré de les découvrir.

CLYTEMNESTRE. — Il y a quinze ans, j'étais la plus belle femme de Grèce. Vois mon visage et juge de ce que j'ai souffert. Je te le dis sans fard ! ce n'est pas la mort du vieux bouc que je regrette ! Quand je l'ai vu saigner dans sa baignoire, j'ai chanté de joie, j'ai dansé. Et aujourd'hui encore, après quinze ans passés, je n'y songe pas sans un tressaillement de plaisir. Mais j'avais un fils — il aurait ton âge. Quand Égisthe l'a livré aux mercenaires, je...

ÉLECTRE. — Vous aviez une fille aussi, ma

mère, il me semble. Vous en avez fait une laveuse de vaisselle. Mais cette faute-là ne vous tourmente pas beaucoup.

CLYTEMNESTRE. — Tu es jeune, Électre. Il a beau jeu de condamner celui qui est jeune et qui n'a pas eu le temps de faire le mal. Mais patience : un jour, tu traîneras après toi un crime irréparable. A chaque pas tu croiras t'en éloigner, et pourtant il sera toujours aussi lourd à traîner. Tu te retourneras et tu le verras derrière toi, hors d'atteinte, sombre et pur comme un cristal noir. Et tu ne le comprendras même plus, tu diras : « Ce n'est pas moi, ce n'est pas *moi* qui l'ai fait. » Pourtant, il sera là, cent fois renié, toujours là, à te tirer en arrière. Et tu sauras enfin que tu as engagé ta vie sur un seul coup de dés, une fois pour toutes, et que tu n'as plus rien à faire qu'à haler ton crime jusqu'à ta mort. Telle est la loi, juste et injuste, du repentir. Nous verrons alors ce que deviendra ton jeune orgueil.

ÉLECTRE. — Mon *jeune* orgueil ? Allez, c'est votre jeunesse que vous regrettez, plus encore que votre crime ; c'est ma jeunesse que vous haïssez, plus encore que mon innocence.

CLYTEMNESTRE. — Ce que je hais en toi, Électre, c'est moi-même. Ce n'est pas ta jeunesse — oh non ! — c'est la mienne.

ÉLECTRE. — Et moi, c'est *vous*, c'est bien *vous* que je hais.

CLYTEMNESTRE. — Honte ! Nous nous injurions comme deux femmes de même âge qu'une rivalité amoureuse a dressées l'une contre l'autre. Et pourtant je suis ta mère. Je ne sais qui tu es,

jeune homme, ni ce que tu viens faire parmi
nous, mais ta présence est néfaste. Électre me
déteste, et je ne l'ignore pas. Mais nous avons
durant quinze années gardé le silence, et seuls
nos regards nous trahissaient. Tu es venu, tu nous
as parlé, et nous voilà, montrant les dents et
grondant comme des chiennes. Les lois de la cité
nous font un devoir de t'offrir l'hospitalité, mais,
je ne te le cache pas, je souhaite que tu t'en
ailles. Quant à toi, mon enfant, ma trop fidèle
image, je ne t'aime pas, c'est vrai. Mais je me
couperais plutôt la main droite que de te nuire.
Tu ne le sais que trop ; tu abuses de ma faiblesse.
Mais je ne te conseille pas de dresser contre
Égisthe ta petite tête venimeuse : il sait, d'un
coup de bâton, briser les reins des vipères. Crois-
moi, fais ce qu'il t'ordonne, sinon il t'en cuira.

ÉLECTRE. — Vous pouvez répondre au roi que
je ne paraîtrai pas à la fête. Sais-tu ce qu'ils font,
Philèbe ? Il y a, au-dessus de la ville, une caverne
dont nos jeunes gens n'ont jamais trouvé le fond ;
on dit qu'elle communique avec les enfers, le
Grand Prêtre l'a fait boucher par une grosse
pierre. Eh bien, le croiras-tu ? A chaque anniversaire, le peuple se réunit devant cette caverne,
des soldats repoussent de côté la pierre qui en
bouche l'entrée, et nos morts, à ce qu'on dit,
remontant des enfers, se répandent dans la ville.
On met leurs couverts sur les tables, on leur
offre des chaises et des lits, on se pousse un peu
pour leur faire place à la veillée, ils courent partout, il n'y en a plus que pour eux. Tu devines
les lamentations des vivants : « Mon petit mort,
mon petit mort, je n'ai pas voulu t'offenser, par-

donne-moi. » Demain matin, au chant du coq, ils rentreront sous terre, on roulera la pierre contre l'entrée de la grotte, et ce sera fini jusqu'à l'année prochaine. Je ne veux pas prendre part à ces mômeries. Ce sont leurs morts, non les miens.

CLYTEMNESTRE. — Si tu n'obéis pas de ton plein gré, le roi a donné l'ordre qu'on t'amène de force.

ÉLECTRE. — De force ?... Ha ! ha ! De force ? C'est bon. Ma bonne mère, s'il vous plaît, assurez le roi de mon obéissance. Je paraîtrai à la fête, et, puisque le peuple veut m'y voir, il ne sera pas déçu. Pour toi, Philèbe, je t'en prie, diffère ton départ, assiste à notre fête. Peut-être y trouveras-tu l'occasion de rire. A bientôt, je vais m'apprêter.

Elle sort.

CLYTEMNESTRE, *à Oreste.* — Va-t'en. Je suis sûre que tu vas nous porter malheur. Tu ne peux pas nous en vouloir, nous ne t'avons rien fait. Va-t'en. Je t'en supplie par ta mère, va-t'en.

Elle sort.

ORESTE. — Par ma mère...

Entre Jupiter.

SCÈNE VI

ORESTE, JUPITER

JUPITER. — Votre valet m'apprend que vous allez partir. Il cherche en vain des chevaux par toute la ville. Mais je pourrai vous procurer deux juments harnachées dans les prix doux.

ORESTE. — Je ne pars plus.

JUPITER, *lentement.* — Vous ne partez plus ? (*Un temps. Vivement.*) Alors je ne vous quitte pas, vous êtes mon hôte. Il y a, au bas de la ville, une assez bonne auberge où nous logerons ensemble. Vous ne regretterez pas de m'avoir choisi pour compagnon. D'abord — abraxas, galla, galla, tsé, tsé — je vous débarrasse de vos mouches. Et puis un homme de mon âge est quelquefois de bon conseil : je pourrais être votre père, vous me raconterez votre histoire. Venez, jeune homme, laissez-vous faire : des rencontres comme celle-ci sont quelquefois plus profitables qu'on ne le croit d'abord. Voyez l'exemple de Télémaque, vous savez, le fils du roi Ulysse. Un beau jour il a rencontré un vieux monsieur du nom de Mentor, qui s'est attaché à ses destinées et qui l'a suivi partout. Eh bien, savez-vous qui était ce Mentor ?

Il l'entraîne en parlant et le rideau tombe.

Rideau.

ACTE II

PREMIER TABLEAU

Une plate-forme dans la montagne. A droite, la caverne. L'entrée est fermée par une grande pierre noire. A gauche, des marches conduisent à un temple.

SCÈNE PREMIÈRE

LA FOULE, puis JUPITER, ORESTE et le PÉDAGOGUE

Une Femme *s'agenouille devant son petit garçon.* — Ta cravate. Voilà trois fois que je te fais le nœud. (*Elle brosse avec la main.*) Là. Tu es propre. Sois bien sage et pleure avec les autres quand on te le dira.

L'Enfant. — C'est par là qu'ils doivent venir ?

La Femme. — Oui.

L'Enfant. — J'ai peur.

La Femme. — Il faut avoir peur, mon chéri. Grand'peur. C'est comme cela qu'on devient un honnête homme.

Un Homme. — Ils auront beau temps aujourd'hui.

Un Autre. — Heureusement ! Il faut croire
qu'ils sont encore sensibles à la chaleur du soleil.
Il pleuvait l'an dernier, et ils ont été... terribles.

Le Premier. — Terribles.

Le Second. — Hélas !

Le Troisième. — Quand ils seront rentrés dans
leur trou et qu'ils nous auront laissés seuls, entre
nous, je grimperai ici, je regarderai cette pierre,
et je me dirai : « A présent en voilà pour un an. »

Un Quatrième. — Oui ? Eh bien, ça ne me con-
solera pas, moi. A partir de demain je commen-
cerai à me dire : « Comment seront-ils l'année
prochaine ? » D'année en année ils se font plus
méchants.

Le Deuxième. — Tais-toi, malheureux. Si l'un
d'entre eux s'était infiltré par quelque fente du
roc et rôdait déjà parmi nous... Il y a des morts
qui sont en avance au rendez-vous.

Ils se regardent avec inquiétude.

Une Jeune Femme. — Si au moins ça pouvait
commencer tout de suite. Qu'est-ce qu'ils font,
ceux du palais ? Ils ne se pressent pas. Moi, je
trouve que c'est le plus dur, cette attente : on
est là, on piétine sous un ciel de feu, sans quitter
des yeux cette pierre noire... Ha ! ils sont là-bas,
derrière la pierre ; ils attendent comme nous, tout
réjouis à la pensée du mal qu'ils vont nous faire.

Une Vieille. — Ça va, mauvaise garce ! On
sait ce qui lui fait peur, à celle-là. Son homme
est mort, le printemps passé, et voilà dix ans
qu'elle lui faisait porter des cornes.

La Jeune Femme. — Eh bien oui, je l'avoue, je
l'ai trompé tant que j'ai pu ; mais je l'aimais

bien et je lui rendais la vie agréable ; il ne s'est
jamais douté de rien, et il est mort en me jetant
un doux regard de chien reconnaissant. Il sait
tout à présent, on lui a gâché son plaisir, il me
hait, il souffre. Et tout à l'heure, il sera contre
moi, son corps de fumée épousera mon corps,
plus étroitement qu'aucun vivant ne l'a jamais
fait. Ah ! je l'emmènerai chez moi, roulé autour
de mon cou, comme une fourrure. Je lui ai pré-
paré de bons petits plats, des gâteaux de farine,
une collation comme il les aimait. Mais rien
n'adoucira sa rancœur ; et cette nuit... cette nuit,
il sera dans mon lit.

UN HOMME. — Elle a raison, parbleu. Que fait
Égisthe ? A quoi pense-t-il ? Je ne puis supporter
cette attente.

UN AUTRE. — Plains-toi donc ! Crois-tu qu'É-
gisthe a moins peur que nous ? Voudrais-tu être
à sa place, dis, et passer vingt-quatre heures en
tête à tête avec Agamemnon ?

LA JEUNE FEMME. — Horrible, horrible attente.
Il me semble, vous tous, que vous vous éloignez
lentement de moi. La pierre n'est pas encore
ôtée, et déjà chacun est en proie à ses morts, seul
comme une goutte de pluie.

Entrent Jupiter, Oreste, le Pédagogue.

JUPITER. — Viens par ici, nous serons mieux.

ORESTE. — Les voilà donc, les citoyens d'Argos, les très fidèles sujets du roi Agamemnon ?

LE PÉDAGOGUE. — Qu'ils sont laids ! Voyez,
mon maître, leur teint de cire, leurs yeux caves.
Ces gens-là sont en train de mourir de peur. Voilà
pourtant l'effet de la superstition. Regardez-les,
regardez-les. Et s'il vous faut encore une preuve

4

de l'excellence de ma philosophie, considérez
ensuite mon teint fleuri.

JUPITER. — La belle affaire qu'un teint fleuri.
Quelques coquelicots sur tes joues, mon bonhomme, ça ne t'empêchera pas d'être du fumier,
comme tous ceux-ci, aux yeux de Jupiter. Va, tu
empestes, et tu ne le sais pas. Eux, cependant,
ont les narines remplies de leurs propres odeurs,
ils se connaissent mieux que toi.

La foule gronde.

UN HOMME, *montant sur les marches du temple,
s'adresse à la foule.* — Veut-on nous rendre
fous ? Unissons nos voix, camarades, et appelons
Égisthe : nous ne pouvons pas tolérer qu'il diffère plus longtemps la cérémonie.

LA FOULE. — Égisthe ! Égisthe ! Pitié !

UNE FEMME. — Ah oui ! Pitié ! Pitié ! Personne
n'aura donc pitié de moi ! Il va venir avec sa
gorge ouverte, l'homme que j'ai tant haï, il m'en-
fermera dans ses bras invisibles et gluants, il sera
mon amant toute la nuit, toute la nuit. Ha !

Elle s'évanouit.

ORESTE. — Quelles folies ! Il faut dire à ces
gens...

JUPITER. — Hé quoi, jeune homme, tant de
bruit pour une femme qui tourne de l'œil ? Vous
en verrez d'autres.

UN HOMME, *se jetant à genoux.* — Je pue ! Je
pue ! Je suis une charogne immonde. Voyez, les
mouches sont sur moi comme des corbeaux !
Piquez, creusez, forez, mouches vengeresses,
fouillez ma chair jusqu'à mon cœur ordurier. J'ai
péché, j'ai cent mille fois péché, je suis un égout,
une fosse d'aisance...

Jupiter. — Le brave homme !

Des Hommes, *le relevant.* — Ça va, ça va. Tu
raconteras ça plus tard, quand ils seront là.

> *L'homme reste hébété ; il souffle en
> roulant des yeux.*

La Foule. — Égisthe ! Égisthe. Par pitié,
ordonne que l'on commence. Nous n'y tenons
plus.

> *Égisthe paraît sur les marches du
> temple. Derrière lui Clytemnestre et le
> Grand Prêtre. Des gardes.*

SCÈNE II

LES MÊMES, ÉGISTHE, CLYTEMNESTRE, LE GRAND PRÊTRE, LES GARDES

Égisthe. — Chiens ! Osez-vous bien vous
plaindre ? Avez-vous perdu la mémoire de votre
abjection ? Par Jupiter, je rafraîchirai vos souvenirs. (*Il se tourne vers Clytemnestre.*) Il faut
bien nous résoudre à commencer sans elle. Mais
qu'elle prenne garde. Ma punition sera exemplaire.

Clytemnestre. — Elle m'avait promis d'obéir.
Elle s'apprête ; j'en suis sûre ; elle doit s'être
attardée devant son miroir.

Égisthe, *aux gardes.* — Qu'on aille quérir
Électre au palais et qu'on l'amène ici, de gré ou
de force. (*Les gardes sortent. A la foule.*) A vos

places. Les hommes à ma droite. A ma gauche
les femmes et les enfants. C'est bien.

> *Un silence. Égisthe attend.*

LE GRAND PRÊTRE. — Ces gens-là n'en peuvent
plus.

ÉGISTHE. — Je sais. Si mes gardes...

> *Les gardes rentrent.*

UN GARDE. — Seigneur, nous avons cherché
partout la princesse. Mais le palais est désert.

ÉGISTHE. — C'est bien. Nous réglerons demain
ce compte-là. (*Au Grand Prêtre.*) Commence.

LE GRAND PRÊTRE. — Otez la pierre.

LA FOULE. — Ha !

> *Les gardes ôtent la pierre. Le Grand
> Prêtre s'avance jusqu'à l'entrée de la
> caverne.*

LE GRAND PRÊTRE. — Vous, les oubliés, les
abandonnés, les désenchantés, vous qui traînez au
ras de terre, dans le noir, comme des fumerolles,
et qui n'avez plus rien à vous que votre grand
dépit, vous les morts, debout, c'est votre fête !
Venez, montez du sol comme une énorme vapeur
de soufre chassée par le vent ; montez des entrailles du monde, ô morts cent fois morts, vous
que chaque battement de nos cœurs fait mourir
à neuf, c'est par la colère et l'amertume et l'esprit de vengeance que je vous invoque, venez
assouvir votre haine sur les vivants ! Venez, ré-
pandez-vous en brume épaisse à travers nos rues,
glissez vos cohortes serrées entre la mère et l'enfant, entre l'amant et son amante, faites-nous
regretter de n'être pas morts. Debout, vampires,
larves, spectres, harpies, terreur de nos nuits.
Debout, les soldats qui moururent en blasphé-

mant, debout les malchanceux, les humiliés, debout les morts de faim dont le cri d'agonie fut une malédiction. Voyez, les vivants sont là, les grasses proies vivantes ! Debout, fondez sur eux en tourbillon et rongez-les jusqu'aux os ! Debout ! Debout ! Debout !...

> *Tam-tam. Il danse devant l'entrée de la caverne, d'abord lentement, puis de plus en plus vite, et tombe exténué.*

ÉGISTHE. — Ils sont là !

LA FOULE. — Horreur !

ORESTE. — C'en est trop et je vais...

JUPITER. — Regarde-moi, jeune homme, regarde-moi en face, là ! là ! Tu as compris. Silence à présent.

ORESTE. — Qui êtes-vous ?

JUPITER. — Tu le sauras plus tard.

> *Égisthe descend lentement les marches du palais.*

ÉGISTHE. — Ils sont là. (*Un silence.*) Il est là, Aricie, l'époux que tu as bafoué. Il est là, contre toi, il t'embrasse. Comme il te serre, comme il t'aime, comme il te hait ! Elle est là, Nicias, elle est là, ta mère, morte faute de soins. Et toi, Segeste, usurier infâme, ils sont là, tous tes débiteurs infortunés, ceux qui sont morts dans la misère et ceux qui se sont pendus parce que tu les ruinais. Ils sont là et ce sont eux, aujourd'hui, qui sont tes créanciers. Et vous, les parents, les tendres parents, baissez un peu les yeux, regardez plus bas, vers le sol : ils sont là, les enfants morts, ils tendent leurs petites mains ; et toutes les joies que vous leur avez refusées, tous les tourments que vous leur avez infligés pèsent comme du plomb sur leurs petites âmes rancuneuses et désolées.

LA FOULE. — Pitié !

ÉGISTHE. — Ah, oui ! pitié ! Ne savez-vous pas que les morts n'ont jamais de pitié ? Leurs griefs sont ineffaçables, parce que leur compte s'est arrêté pour toujours. Est-ce par des bienfaits, Nicias, que tu comptes effacer le mal que tu fis à ta mère ? Mais quel bienfait pourra jamais l'atteindre ? Son âme est un midi torride, sans un souffle de vent, rien n'y bouge, rien n'y change, rien n'y vit, un grand soleil décharné, un soleil immobile la consume éternellement. Les morts ne sont plus — comprenez-vous ce mot implacable — ils ne sont plus, et c'est pour cela qu'ils se sont faits les gardiens incorruptibles de vos crimes.

LA FOULE. — Pitié !

ÉGISTHE. — Pitié ? Ah ! piètres comédiens, vous avez du public aujourd'hui. Sentez-vous peser sur vos visages et sur vos mains les regards de ces millions d'yeux fixes et sans espoir ? Ils nous voient, ils nous voient, nous sommes nus devant l'assemblée des morts. Ha ! ha ! Vous voilà bien empruntés à présent ; il vous brûle, ce regard invisible et pur, plus inaltérable qu'un souvenir de regard.

LA FOULE. — Pitié !

LES HOMMES. — Pardonnez-nous de vivre alors que vous êtes morts.

LES FEMMES. — Pitié. Nous sommes entourées de vos visages et des objets qui vous ont appartenu, nous portons votre deuil éternellement et nous pleurons de l'aube à la nuit et de la nuit à

l'aube. Nous avons beau faire, votre souvenir s'ef-
filoche et glisse entre nos doigts ; chaque jour il
pâlit un peu plus et nous sommes un peu plus
coupables. Vous nous quittez, vous nous quittez,
vous vous écoulez de nous comme une hémorra-
gie. Pourtant, si cela pouvait apaiser vos âmes
irritées, sachez, ô nos chers disparus, que vous
nous avez gâché la vie.

LES HOMMES. — Pardonnez-nous de vivre alors
que vous êtes morts.

LES ENFANTS. — Pitié ! Nous n'avons pas fait
exprès de naître, et nous sommes tous honteux
de grandir. Comment aurions-nous pu vous offenser ? Voyez, nous vivons à peine, nous sommes
maigres, pâles et tout petits ; nous ne faisons pas
de bruit, nous glissons sans même ébranler l'air
autour de nous. Et nous avons peur de vous, oh !
si grand'peur !

LES HOMMES. — Pardonnez-nous de vivre alors
que vous êtes morts.

ÉGISTHE. — Paix ! Paix ! Si vous vous lamentez
ainsi, que dirai-je moi, votre roi ? Car mon sup-
plice a commencé : le sol tremble et l'air s'est
obscurci ; le plus grand des morts va paraître,
celui que j'ai tué de mes mains, Agamemnon.

ORESTE, *tirant son épée.* — Ruffian ! Je ne te
permettrai pas de mêler le nom de mon père à
tes singeries !

JUPITER, *le saisissant à bras-le-corps.* — Arrêtez, jeune homme, arrêtez-vous !

ÉGISTHE, *se retournant.* — Qui ose ? (*Électre
est apparue en robe blanche sur les marches du
temple. Égisthe l'aperçoit.*) Électre !

LA FOULE. — Électre !

SCÈNE III

LES MÊMES, ÉLECTRE

Égisthe. — Électre, réponds, que signifie ce costume ?

Électre. — J'ai mis ma plus belle robe. N'est-ce pas un jour de fête ?

Le Grand Prêtre. — Viens-tu narguer les morts ? C'est leur fête, tu le sais fort bien, et tu devais paraître en habits de deuil.

Électre. — De deuil ? Pourquoi de deuil ? Je n'ai pas peur de mes morts, et je n'ai que faire des vôtres !

Égisthe. — Tu as dit vrai ; tes morts ne sont pas nos morts. Regardez-la, sous sa robe de putain, la petite fille d'Atrée, d'Atrée qui égorgea lâchement ses neveux. Qu'es-tu donc, sinon le dernier rejeton d'une race maudite ! Je t'ai tolérée par pitié dans mon palais, mais je reconnais ma faute aujourd'hui, car c'est toujours le vieux sang pourri des Atrides qui coule dans tes veines, et tu nous infecterais tous si je n'y mettais bon ordre. Patiente un peu, chienne, et tu verras si je sais punir. Tu n'auras pas assez de tes yeux pour pleurer.

La Foule. — Sacrilège !

Égisthe. — Entends-tu, malheureuse, les grondements de ce peuple que tu as offensé, entends-tu le nom qu'il te donne ? Si je n'étais pas là pour mettre un frein à sa colère, il te déchirerait sur place.

LA FOULE. — Sacrilège !

ÉLECTRE. — Est-ce un sacrilège que d'être gaie ? Pourquoi ne sont-ils pas gais, eux ? Qui les en empêche ?

ÉGISTHE. — Elle rit et son père mort est là, avec du sang caillé sur la face...

ÉLECTRE. — Comment osez-vous parler d'Agamemnon ? Savez-vous s'il ne vient pas la nuit me parler à l'oreille ? Savez-vous quels mots d'amour et de regret sa voix rauque et brisée me chuchote ? Je ris, c'est vrai, pour la première fois de ma vie, je ris, je suis heureuse. Prétendez-vous que mon bonheur ne réjouit pas le cœur de mon père ? Ah ! s'il est là, s'il voit sa fille en robe blanche, sa fille que vous avez réduite au rang abject d'esclave, s'il voit qu'elle porte le front haut et que le malheur n'a pas abattu sa fierté, il ne songe pas, j'en suis sûre, à me maudire ; ses yeux brillent dans son visage supplicié et ses lèvres sanglantes essaient de sourire.

LA JEUNE FEMME. — Et si elle disait vrai ?

DES VOIX. — Mais non, elle ment, elle est folle. Électre, va-t'en de grâce, sinon ton impiété retombera sur nous.

ÉLECTRE. — De quoi donc avez-vous peur ? Je regarde autour de vous et je ne vois que vos ombres. Mais écoutez ceci que je viens d'apprendre et que vous ne savez peut-être pas : il y a en Grèce des villes heureuses. Des villes blanches et calmes qui se chauffent au soleil comme des lézards. A cette heure même, sous ce même ciel, il y a des enfants qui jouent sur les places de Corinthe. Et leurs mères ne demandent point pardon de les avoir mis au monde. Elles les regardent en souriant, elles sont fières d'eux. O mères d'Argos, comprenez-vous ? Pouvez-vous encore comprendre l'orgueil d'une femme qui regarde son enfant et qui pense : « C'est moi qui l'ai porté dans mon sein ? »

ÉGISTHE. — Tu vas te taire, à la fin, ou je ferai rentrer les mots dans ta gorge.

DES VOIX *dans la foule.* — Oui, oui ! Qu'elle se taise. Assez, assez !

D'AUTRES VOIX. — Non, laissez-la parler ! Laissez-la parler. C'est Agamemnon qui l'inspire.

ÉLECTRE. — Il fait beau. Partout, dans la plaine, des hommes lèvent la tête et disent : « Il fait beau », et ils sont contents. O bourreaux de vous-mêmes, avez-vous oublié cet humble contentement du paysan qui marche sur sa terre et qui dit : « Il fait beau » ? Vous voilà les bras ballants, la tête basse, respirant à peine. Vos morts se collent contre vous, et vous demeurez immobiles dans la crainte de les bousculer au moindre geste. Ce serait affreux, n'est-ce pas ? si vos mains traversaient soudain une petite vapeur moite, l'âme de votre père ou de votre aïeul ? — Mais regardez-moi : j'étends les bras, je m'élargis, et je m'étire comme un homme qui s'éveille, j'occupe ma place au soleil, toute ma place. Est-ce que le ciel me tombe sur la tête ? Je danse, voyez, je danse, et je ne sens rien que le souffle du vent dans mes cheveux. Où sont les morts ? Croyez-vous qu'ils dansent avec moi, en mesure ?

LE GRAND PRÊTRE. — Habitants d'Argos, je

vous dis que cette femme est sacrilège. Malheur
à elle et à ceux d'entre vous qui l'écoutent.

ÉLECTRE. — O mes chers morts, Iphigénie, ma
sœur aînée, Agamemnon, mon père et mon seul
roi, écoutez ma prière. Si je suis sacrilège, si
j'offense vos mânes douloureux, faites un signe,
faites-moi vite un signe, afin que je le sache. Mais
si vous m'approuvez, mes chéris, alors taisez-
vous, je vous en prie, que pas une feuille ne
bouge, pas un brin d'herbe, que pas un bruit ne
vienne troubler ma danse sacrée : car je danse
pour la joie, je danse pour la paix des hommes,
je danse pour le bonheur et pour la vie. O mes
morts, je réclame votre silence, afin que les
hommes qui m'entourent sachent que votre cœur
est avec moi.

Elle danse.

VOIX *dans la foule*. — Elle danse ! Voyez-la,
légère comme une flamme, elle danse au soleil,
comme l'étoffe claquante d'un drapeau — et les
morts se taisent !

LA JEUNE FEMME. — Voyez son air d'extase —
non, ce n'est pas le visage d'une impie. Eh bien,
Égisthe, Égisthe ! Tu ne dis rien — pourquoi ne
réponds-tu pas ?

ÉGISTHE. — Est-ce qu'on discute avec les bêtes
puantes ? On les détruit ! J'ai eu tort de l'épargner autrefois ; mais c'est un tort réparable :
n'ayez crainte, je vais l'écraser contre terre, et sa
race s'anéantira avec elle.

LA FOULE. — Menacer n'est pas répondre,
Égisthe ! N'as-tu rien d'autre à nous dire ?

LA JEUNE FEMME. — Elle danse, elle sourit, elle
est heureuse, et les morts semblent la protéger.

Ah ! trop enviable Électre ! vois, moi aussi,
j'écarte les bras et j'offre ma gorge au soleil !

Voix *dans la foule.* — Les morts se taisent :
Égisthe, tu nous as menti !

Oreste. — Chère Électre !

Jupiter. — Parbleu, je vais rabattre le caquet
de cette gamine. (*Il étend le bras.*) Posidon cari-
bou caribon lullaby.

> *La grosse pierre qui obstruait l'entrée
> de la caverne roule avec fracas contre
> les marches du temple. Électre cesse de
> danser.*

La Foule. — Horreur !

> *Un long silence.*

Le Grand Prêtre. — O peuple lâche et trop
léger : les morts se vengent ! Voyez les mouches
fondre sur nous en épais tourbillons ! Vous avez
écouté une voix sacrilège et nous sommes maudits !

La Foule. — Nous n'avons rien fait, ça n'est
pas notre faute, elle est venue, elle nous a séduits
par ses paroles empoisonnées ! A la rivière, la
sorcière, à la rivière ! Au bûcher !

Une Vieille Femme, *désignant la jeune femme.*
— Et celle-ci, là, qui buvait ses discours comme
du miel, arrachez-lui ses vêtements, mettez-la
toute nue et fouettez-la jusqu'au sang.

> *On s'empare de la jeune femme, des
> hommes gravissent les marches de l'es-
> calier et se précipitent vers Électre.*

Égisthe, *qui s'est redressé.* — Silence, chiens.
Regagnez vos places en bon ordre et laissez-moi
le soin du châtiment. (*Un silence.*) Eh bien ?
Vous avez vu ce qu'il en coûte de ne pas m'obéir ?

Douterez-vous de votre chef, à présent ? Rentrez chez vous, les morts vous accompagnent, ils seront vos hôtes tout le jour et toute la nuit. Faites-leur place à votre table, à votre foyer, dans votre couche, et tâchez que votre conduite exemplaire leur fasse oublier tout ceci. Quant à moi, bien que vos soupçons m'aient blessé, je vous pardonne. Mais toi, Électre...

Électre. — Eh bien quoi ? J'ai raté mon coup. La prochaine fois je ferai mieux.

Égisthe. — Je ne t'en donnerai pas l'occasion. Les lois de la cité m'interdisent de punir en ce jour de fête. Tu le savais et tu en as abusé. Mais tu ne fais plus partie de la cité, je te chasse. Tu partiras pieds nus et sans bagage, avec cette robe infâme sur le corps. Si tu es encore dans nos murs demain à l'aube, je donne l'ordre à quiconque te rencontrera de t'abattre comme une brebis galeuse.

> *Il sort, suivi des gardes. La foule défile*
> *devant Électre en lui montrant le poing.*

Jupiter, *à Oreste*. — Eh bien, mon maître ? Êtes-vous édifié ? Voilà une histoire morale, ou je me trompe fort : les méchants ont été punis et les bons récompensés. (*Désignant Électre.*) Cette femme...

Oreste. — Cette femme est ma sœur, bonhomme ! Va-t'en, je veux lui parler.

Jupiter *le regarde un instant, puis hausse les épaules*. — Comme tu voudras.

> *Il sort, suivi du Pédagogue.*

SCÈNE IV

ÉLECTRE sur les marches du temple, ORESTE

Oreste. — Électre !

Électre *lève la tête et le regarde.* — Ah ! te voilà, Philèbe ?

Oreste. — Tu ne peux plus demeurer en cette ville, Électre. Tu es en danger.

Électre. — En danger ? Ah ! c'est vrai ! Tu as vu comme j'ai raté mon coup. C'est un peu ta faute, tu sais, mais je ne t'en veux pas.

Oreste. — Qu'ai-je donc fait ?

Électre. — Tu m'as trompée. (*Elle descend vers lui.*) Laisse-moi voir ton visage. Oui, je me suis prise à tes yeux.

Oreste. — Le temps presse, Électre. Écoute : nous allons fuir ensemble. Quelqu'un doit me procurer des chevaux, je te prendrai en croupe.

Électre. — Non.

Oreste. — Tu ne veux pas fuir avec moi ?

Électre. — Je ne veux pas fuir.

Oreste. — Je t'emmènerai à Corinthe.

Électre, *riant.* — Ha ! Corinthe... Tu vois, tu ne le fais pas exprès, mais tu me trompes encore. Que ferais-je à Corinthe, moi ? Il faut que je sois raisonnable. Hier encore j'avais des désirs si modestes : quand je servais à table, les paupières baissées, je regardais entre mes cils le couple royal, la vieille belle au visage mort, et lui, gras

et pâle, avec sa bouche veule et cette barbe noire
qui lui court d'une oreille à l'autre comme un
régiment d'araignées, et je rêvais de voir un jour
une fumée, une petite fumée droite, pareille à
une haleine par un froid matin, monter de leurs
ventres ouverts. C'est tout ce que je demandais,
Philèbe, je te le jure. Je ne sais pas ce que tu
veux, toi, mais il ne faut pas que je te croie : tu
n'as pas des yeux modestes. Tu sais ce que je
pensais, avant de te connaître ? C'est que le sage
ne peut rien souhaiter sur terre, sinon de rendre
un jour le mal qu'on lui a fait.

ORESTE. — Électre, si tu me suis, tu verras
qu'on peut souhaiter encore beaucoup d'autres
choses sans cesser d'être sage.

ÉLECTRE. — Je ne veux plus t'écouter ; tu m'as
fait beaucoup de mal. Tu es venu avec tes yeux
affamés dans ton doux visage de fille, et tu m'as
fait oublier ma haine ; j'ai ouvert mes mains et
j'ai laissé glisser à mes pieds mon seul trésor.
J'ai voulu croire que je pourrais guérir les gens
d'ici par des paroles. Tu as vu ce qui est arrivé :
ils aiment leur mal, ils ont besoin d'une plaie
familière qu'ils entretiennent soigneusement en la
grattant de leurs ongles sales. C'est par la violence qu'il faut les guérir, car on ne peut vaincre
le mal que par un autre mal. Adieu, Philèbe,
va-t'en, laisse-moi à mes mauvais songes.

ORESTE. — Ils vont te tuer.

ÉLECTRE. — Il y a un sanctuaire ici, le temple
d'Apollon ; les criminels s'y réfugient parfois, et,
tant qu'ils y demeurent, personne ne peut toucher à un cheveu de leur tête. Je m'y cacherai.

ORESTE. — Pourquoi refuses-tu mon aide ?

ÉLECTRE. — Ce n'est pas à toi de m'aider.
Quelqu'un d'autre viendra pour me délivrer. (*Un
temps.*) Mon frère n'est pas mort, je le sais. Et
je l'attends.

ORESTE. — S'il ne venait pas ?

ÉLECTRE. — Il viendra, il ne peut pas ne pas
venir. Il est de notre race, comprends-tu ; il a le
crime et le malheur dans le sang, comme moi.
C'est quelque grand soldat, avec les gros yeux
rouges de notre père, toujours à cuver une colère,
il souffre, il s'est embrouillé dans sa destinée
comme les chevaux éventrés s'embrouillent les
pattes dans leurs intestins ; et maintenant,
quelque mouvement qu'il fasse, il faut qu'il s'arrache les entrailles. Il viendra, cette ville l'attire,
j'en suis sûre, parce que c'est ici qu'il peut faire
le plus grand mal, qu'il peut se faire le plus de
mal. Il viendra, le front bas, souffrant et piaffant.
Il me fait peur : toutes les nuits je le vois en
songe et je m'éveille en hurlant. Mais je l'attends
et je l'aime. Il faut que je demeure ici pour guider son courroux — car j'ai de la tête, moi —
pour lui montrer du doigt les coupables et pour
lui dire : « Frappe, Oreste, frappe : les voilà ! »

ORESTE. — Et s'il n'était pas comme tu l'imagines ?

ÉLECTRE. — Comment veux-tu qu'il soit, le fils
d'Agamemnon et de Clytemnestre ?

ORESTE. — S'il était las de tout ce sang, ayant
grandi dans une ville heureuse ?

ÉLECTRE. — Alors je lui cracherais au visage et
je lui dirais : « Va-t'en, chien, va chez les
femmes, car tu n'es rien d'autre qu'une femme.
Mais tu fais un mauvais calcul : tu es le petit-fils

d'Atrée, tu n'échapperas pas au destin des
Atrides. Tu as préféré la honte au crime, libre à
toi. Mais le destin viendra te chercher dans ton
lit : tu auras la honte d'abord, et puis tu com-
mettras le crime, en dépit de toi-même !

ORESTE. — Électre, je suis Oreste.

ÉLECTRE, *dans un cri.* — Tu mens !

ORESTE. — Par les mânes de mon père Agamemnon, je te le jure : je suis Oreste. (*Un
silence.*) Eh bien ? qu'attends-tu pour me cracher
au visage ?

ÉLECTRE. — Comment le pourrais-je ? (*Elle le
regarde.*) Ce beau front est le front de mon frère.
Ces yeux qui brillent sont les yeux de mon frère.
Oreste... Ah ! j'aurais préféré que tu restes Phi-
lèbe et que mon frère fût mort. (*Timidement.*)
C'est vrai que tu as vécu à Corinthe ?

ORESTE. — Non. Ce sont des bourgeois
d'Athènes qui m'ont élevé.

ÉLECTRE. — Que tu as l'air jeune. Est-ce que
tu t'es jamais battu ? Cette épée que tu portes
au côté, t'a-t-elle jamais servi ?

ORESTE. — Jamais.

ÉLECTRE. — Je me sentais moins seule quand
je ne te connaissais pas encore : j'attendais
l'autre. Je ne pensais qu'à sa force et jamais à
ma faiblesse. A présent te voilà ; Oreste, c'était
toi. Je te regarde et je vois que nous sommes
deux orphelins. (*Un temps.*) Mais je t'aime, tu
sais. Plus que je l'eusse aimé, lui.

ORESTE. — Viens, si tu m'aimes ; fuyons ensemble.

ÉLECTRE. — Fuir ? Avec toi ? Non. C'est ici

5

que se joue le sort des Atrides, et je suis une Atride. Je ne te demande rien. Je ne veux plus rien demander à Philèbe. Mais je reste ici.

  Jupiter paraît au fond de la scène et se cache pour les écouter.

ORESTE. — Électre, je suis Oreste..., ton frère. Moi aussi je suis un Atride, et ta place est à mes côtés.

ÉLECTRE. — Non. Tu n'es pas mon frère et je ne te connais pas. Oreste est mort, c'est tant mieux pour lui ; désormais j'honorerai ses mânes avec ceux de mon père et de ma sœur. Mais toi, toi qui viens réclamer le nom d'Atride, qui es-tu pour te dire des nôtres ? As-tu passé ta vie à l'ombre d'un meurtre ? Tu devais être un enfant tranquille avec un doux air réfléchi, l'orgueil de ton père adoptif, un enfant bien lavé, aux yeux brillants de confiance. Tu avais confiance dans les gens, parce qu'ils te faisaient de grands sourires, dans les tables, dans les lits, dans les marches d'escalier, parce que ce sont de fidèles serviteurs de l'homme : dans la vie, parce que tu étais riche et que tu avais beaucoup de jouets ; tu devais penser quelquefois que le monde n'était pas si mal fait et que c'était un plaisir de s'y laisser aller comme dans un bon bain tiède, en soupirant d'aise. Moi, à six ans, j'étais servante et je me méfiais de tout. (*Un temps.*) Va-t'en, belle âme. Je n'ai que faire des belles âmes : c'est un complice que je voulais.

ORESTE. — Penses-tu que je te laisserai seule ? Que ferais-tu ici, ayant perdu jusqu'à ton dernier espoir ?

ÉLECTRE. — C'est mon affaire. Adieu, Philèbe.

ORESTE. — Tu me chasses ? (*Il fait quelques pas et s'arrête.*) Ce reître irrité que tu attendais, est-ce ma faute si je ne lui ressemble pas ? Tu l'aurais pris par la main et tu lui aurais dit : « Frappe ! » A moi tu n'as rien demandé. Qui suis-je donc, bon Dieu, pour que ma propre sœur me repousse, sans même m'avoir éprouvé ?

ÉLECTRE. — Ah ! Philèbe, je ne pourrai jamais charger d'un tel poids ton cœur sans haine.

ORESTE, *accablé.* — Tu dis bien : sans haine. Sans amour non plus. Toi, j'aurais pu t'aimer. *J'aurais pu...* Mais quoi ? Pour aimer, pour haïr, il faut se donner. Il est beau, l'homme au sang riche, solidement planté au milieu de ses biens, qui se donne un beau jour à l'amour, à la haine, et qui donne avec lui sa terre, sa maison et ses souvenirs. Qui suis-je et qu'ai-je à donner, moi ? J'existe à peine : de tous les fantômes qui rôdent aujourd'hui par la ville, aucun n'est plus fantôme que moi. J'ai connu des amours de fantôme, hésitants et clairsemés comme des vapeurs ; mais j'ignore les denses passions des vivants. (*Un temps.*) Honte ! Je suis revenu dans ma ville natale, et ma sœur a refusé de me reconnaître. Où vais-je aller, à présent ? Quelle cité faut-il que je hante ?

ÉLECTRE. — N'en est-il pas une où t'attend quelque fille au beau visage ?

ORESTE. — Personne ne m'attend. Je vais de ville en ville, étranger aux autres et à moi-même, et les villes se referment derrière moi comme une eau tranquille. Si je quitte Argos, que restera-t-il de mon passage, sinon l'amer désenchantement de ton cœur ?

ÉLECTRE. — Tu m'as parlé de villes heureuses...

ORESTE. — Je me soucie bien du bonheur. Je veux mes souvenirs, mon sol, ma place au milieu des hommes d'Argos. (*Un silence.*) Électre, je ne m'en irai pas d'ici.

ÉLECTRE. — Philèbe, va-t'en, je t'en supplie : j'ai pitié de toi, va-t'en si je te suis chère ; rien ne peut t'arriver que du mal, et ton innocence ferait échouer mes entreprises.

ORESTE. — Je ne m'en irai pas.

ÉLECTRE. — Et tu crois que je vais te laisser là, dans ta pureté importune, juge intimidant et muet de mes actes ? Pourquoi t'entêtes-tu ? Personne ici ne veut de toi.

ORESTE. — C'est ma seule chance. Électre, tu ne peux pas me la refuser. Comprends-moi : je veux être un homme de quelque part, un homme parmi les hommes. Tiens, un esclave, lorsqu'il passe, las et rechigné, portant un lourd fardeau, traînant la jambe et regardant à ses pieds, tout juste à ses pieds, pour éviter de choir, il est *dans* sa ville, comme une feuille dans un feuillage, comme l'arbre dans la forêt, Argos est autour de lui, toute pesante et toute chaude, toute pleine d'elle-même ; je veux être cet esclave, Électre, je veux tirer la ville autour de moi et m'y enrouler comme dans une couverture. Je ne m'en irai pas.

ÉLECTRE. — Demeurerais-tu cent ans parmi nous, tu ne seras jamais qu'un étranger, plus seul que sur une grande route. Les gens te regarderont de coin, entre leurs paupières mi-closes, et ils baisseront la voix quand tu passeras près d'eux.

ORESTE. — Est-ce donc si difficile de vous ser-

vir ? Mon bras peut défendre la ville, et j'ai de
l'or pour soulager vos miséreux.

ÉLECTRE. — Nous ne manquons ni de capi-
taines, ni d'âmes pieuses pour faire le bien.

ORESTE. — Alors...

> Il fait quelques pas, la tête basse. Jupi-
> ter paraît et le regarde en se frottant les
> mains.

ORESTE, *relevant la tête.* — Si du moins j'y
voyais clair ! Ah ! Zeus, Zeus, roi du ciel, je me
suis rarement tourné vers toi, et tu ne m'as guère
été favorable, mais tu m'es témoin que je n'ai
jamais voulu que le Bien. A présent je suis las,
je ne distingue plus le Bien du Mal et j'ai besoin
qu'on me trace ma route. Zeus, faut-il vraiment
qu'un fils de roi, chassé de sa ville natale, se
résigne saintement à l'exil et vide les lieux la tête
basse, comme un chien couchant ? Est-ce là ta
volonté ? Je ne puis le croire. Et cependant...
cependant tu as défendu de verser le sang... Ah !
qui parle de verser le sang, je ne sais plus ce que
je dis... Zeus, je t'implore : si la résignation et
l'abjecte humilité sont les lois que tu m'imposes,
manifeste-moi ta volonté par quelque signe, car
je ne vois plus clair du tout.

JUPITER, *pour lui-même.* — Mais comment
donc : à ton service ! Abraxas, abraxas, tsé-tsé !

> La lumière fuse autour de la pierre.

ÉLECTRE *se met à rire.* — Ha ! ha ! Il pleut des
miracles aujourd'hui ! Vois, pieux Philèbe, vois
ce qu'on gagne à consulter les Dieux ! (*Elle est
prise d'un fou rire.*) Le bon jeune homme... le
pieux Philèbe : « Fais-moi signe, Zeus, fais-moi
signe ! » Et voilà la lumière qui fuse autour de

la pierre sacrée. Va-t'en ! A Corinthe ! A Corinthe ! Va-t'en !

ORESTE, *regardant la pierre.* — Alors... c'est *ça*
le Bien ? (*Un temps, il regarde toujours la
pierre.*) Filer doux. Tout doux. Dire toujours
« Pardon » et « Merci »... c'est ça ?

(*Un temps, il regarde toujours la pierre.*) Le
Bien. *Leur* Bien...

(*Un temps.*) Électre !

ÉLECTRE. — Va vite, va vite. Ne déçois pas
cette sage nourrice qui se penche sur toi du haut
de l'Olympe. (*Elle s'arrête, interdite.*) Qu'as-tu ?

ORESTE, *d'une voix changée.* — Il y a un autre
chemin.

ÉLECTRE, *effrayée.* — Ne fais pas le méchant,
Philèbe. Tu as demandé les ordres des Dieux :
eh bien ! tu les connais.

ORESTE. — Des ordres ?... Ah oui... Tu veux
dire : la lumière là, autour de ce gros caillou ?
Elle n'est pas pour moi, cette lumière ; et personne ne peut plus me donner d'ordre à présent.

ÉLECTRE. — Tu parles par énigmes.

ORESTE. — Comme tu es loin de moi, tout à
coup..., comme tout est changé ! Il y avait autour
de moi quelque chose de vivant et de chaud.
Quelque chose qui vient de mourir. Comme tout
est vide... Ah ! quel vide immense, à perte de
vue... (*Il fait quelques pas.*) La nuit tombe... Tu
ne trouves pas qu'il fait froid ?... Mais qu'est-ce
donc..., qu'est-ce donc qui vient de mourir ?

ÉLECTRE. — Philèbe...

ORESTE. — Je te dis qu'il y a un autre chemin..., mon chemin. Tu ne le vois pas ? Il part
d'ici et il descend vers la ville. Il faut descendre,

comprends-tu, descendre jusqu'à vous, vous êtes
au fond d'un trou, tout au fond... (*Il s'avance
vers Électre.*) Tu es *ma* sœur, Électre, et cette
ville est *ma* ville. *Ma* sœur !

> Il lui prend le bras.

ÉLECTRE. — Laisse-moi ! Tu me fais mal, tu
me fais peur — et je ne t'appartiens pas.

ORESTE. — Je sais. Pas encore : je suis trop
léger. Il faut que je me leste d'un forfait bien
lourd qui me fasse couler à pic, jusqu'au fond
d'Argos.

ÉLECTRE. — Que vas-tu entreprendre ?

ORESTE. — Attends. Laisse-moi dire adieu à
cette légèreté sans tache qui fut la mienne. Laisse-
moi dire adieu à ma jeunesse. Il y a des soirs,
des soirs de Corinthe ou d'Athènes, pleins de
chants et d'odeurs, qui ne m'appartiendront plus
jamais. Des matins, pleins d'espoir aussi... Allons,
adieu ! adieu ! (*Il vient vers Électre.*) Viens,
Électre, regarde notre ville. Elle est là, rouge
sous le soleil, bourdonnante d'hommes et de
mouches, dans l'engourdissement têtu d'un après-
midi d'été ; elle me repousse de tous ses murs,
de tous ses toits, de toutes ses portes closes. Et
pourtant elle est à prendre, je le sens depuis ce
matin. Et toi aussi, Électre, tu es à prendre. Je
vous prendrai. Je deviendrai hache et je fendrai
en deux ces murailles obstinées, j'ouvrirai le
ventre de ces maisons bigotes, elles exhaleront
par leurs plaies béantes une odeur de mangeaille
et d'encens ; je deviendrai cognée et je m'enfon-
cerai dans le cœur de cette ville comme la cognée
dans le cœur d'un chêne.

ÉLECTRE. — Comme tu as changé : tes yeux

ne brillent plus, ils sont ternes et sombres. Hélas!
Tu étais si doux, Philèbe. Et voilà que tu me
parles comme l'autre me parlait en songe.

ORESTE. — Écoute : tous ces gens qui tremblent
dans des chambres sombres, entourés de leurs
chers défunts, suppose que j'assume tous leurs
crimes. Suppose que je veuille mériter le nom
de « voleur de remords » et que j'installe en
moi tous leurs repentirs : ceux de la femme qui
trompa son mari, ceux du marchand qui laissa
mourir sa mère, ceux de l'usurier qui tondit jusqu'à la mort ses débiteurs ?

Dis, ce jour-là, quand je serai hanté par des
remords plus nombreux que les mouches d'Argos,
par tous les remords de la ville, est-ce que je
n'aurai pas acquis droit de cité parmi vous ?
Est-ce que je ne serai pas chez moi, entre vos
murailles sanglantes, comme le boucher en tablier
rouge est chez lui dans sa boutique, entre les
bœufs saignants qu'il vient d'écorcher ?

ÉLECTRE. — Tu veux expier pour nous ?

ORESTE. — Expier ? J'ai dit que j'installerai en
moi vos repentirs, mais je n'ai pas dit ce que je
ferai de ces volailles criardes : peut-être leur tor-
drai-je le cou.

ÉLECTRE. — Et comment pourrais-tu te charger
de nos maux ?

ORESTE. — Vous ne demandez qu'à vous en
défaire. Le roi et la reine seuls les maintiennent
de force en vos cœurs.

ÉLECTRE. — Le roi et la reine... Philèbe !

ORESTE. — Les Dieux me sont témoins que je
ne voulais pas verser leur sang.

Un long silence.

ÉLECTRE. — Tu es trop jeune, trop faible...

ORESTE. — Vas-tu reculer, à présent ? Cache-moi dans le palais, conduis-moi ce soir jusqu'à la couche royale, et tu verras si je suis trop faible.

ÉLECTRE. — Oreste !

ORESTE. — Électre ! Tu m'as appelé Oreste pour la première fois.

ÉLECTRE. — Oui. C'est bien toi. Tu es Oreste. Je ne te reconnais pas, car ce n'est pas ainsi que je t'attendais. Mais ce goût amer dans ma bouche, ce goût de fièvre, mille fois je l'ai senti dans mes songes et je le reconnais. Tu es donc venu, Oreste, et ta décision est prise, et me voilà, comme dans mes songes, au seuil d'un acte irréparable, et j'ai peur — comme en songe. O moment tant attendu et tant redouté ! A présent, les instants vont s'enchaîner comme les rouages d'une mécanique, et nous n'aurons plus de répit jusqu'à ce qu'ils soient couchés tous les deux sur le dos, avec des visages pareils aux mûres écrasées. Tout ce sang ! Et c'est toi qui vas le verser, toi qui avais des yeux si doux. Hélas, jamais je ne reverrai cette douceur, jamais plus je ne reverrai Philèbe. Oreste, tu es mon frère aîné et le chef de notre famille, prends-moi dans tes bras, protège-moi, car nous allons au-devant de très grandes souffrances.

> *Oreste la prend dans ses bras. Jupiter sort de sa cachette et s'en va à pas de loup.*

Rideau.

DEUXIÈME TABLEAU

Dans le palais ; la salle du trône. Une statue de Jupiter, terrible et sanglante. Le jour tombe.

SCÈNE PREMIÈRE

Électre entre la première et fait signe à Oreste d'entrer.

ORESTE. — On vient !
Il met l'épée à la main.
ÉLECTRE. — Ce sont des soldats qui font leur ronde. Suis-moi : nous allons nous cacher par ici.
Ils se cachent derrière le trône.

SCÈNE II

LES MÊMES (*cachés*), *DEUX SOLDATS*

PREMIER SOLDAT. — Je ne sais pas ce qu'ont les mouches aujourd'hui : elles sont folles.
DEUXIÈME SOLDAT. — Elles sentent les morts et ça les met en joie. Je n'ose plus bâiller de peur

qu'elles ne s'enfoncent dans ma gueule ouverte
et n'aillent faire le carrousel au fond de mon
gosier. (*Électre se montre un instant et se cache.*)
Tiens, il y a quelque chose qui a craqué.

Premier Soldat. — C'est Agamemnon qui s'assied sur son trône.

Deuxième Soldat. — Et dont les larges fesses
font craquer les planches du siège ? Impossible,
collègue, les morts ne pèsent pas.

Premier Soldat. — Ce sont les roturiers qui ne
pèsent pas. Mais lui, avant que d'être un mort
royal, c'était un royal bon vivant, qui faisait, bon
an mal an, ses cent vingt-cinq kilos. C'est bien
rare s'il ne lui en reste pas quelques livres.

Deuxième Soldat. — Alors... tu crois qu'il est
là ?

Premier Soldat. — Où veux-tu qu'il soit ? Si
j'étais un roi mort, moi, et que j'eusse tous les
ans une permission de vingt-quatre heures, sûr
que je reviendrais m'asseoir sur mon trône et que
j'y passerais la journée, à me rappeler les bons
souvenirs d'autrefois, sans faire de mal à personne.

Deuxième Soldat. — Tu dis ça parce que tu
es vivant. Mais si tu ne l'étais plus, tu aurais
bien autant de vice que les autres. (*Le premier
soldat lui donne une gifle.*) Holà ! Holà !

Premier Soldat. — C'est pour ton bien ; regarde, j'en ai tué sept d'un coup, tout un essaim.

Deuxième Soldat. — De morts ?

Premier Soldat. — Non. De mouches. J'ai du
sang plein les mains. (*Il s'essuie sur sa culotte.*)
Vaches de mouches.

Deuxième Soldat. — Plût aux Dieux qu'elles

fussent mort-nées. Vois tous ces hommes morts
qui sont ici : ils ne pipent mot, ils s'arrangent
pour ne pas gêner. Les mouches crevées, ça serait
pareil.

Premier Soldat. — Tais-toi, si je pensais qu'il
y eût ici des mouches fantômes, par-dessus le
marché...

Deuxième Soldat. — Pourquoi pas ?

Premier Soldat. — Tu te rends compte ? Ça
crève par millions chaque jour, ces bestioles. Si
l'on avait lâché par la ville toutes celles qui sont
mortes depuis l'été dernier, il y en aurait trois
cent soixante-cinq mortes pour une vivante à
tourniquer autour de nous. Pouah ! l'air serait
sucré de mouches, on mangerait mouche, on res-
pirerait mouche, elles descendraient par coulées
visqueuses dans nos bronches et dans nos tripes...
Dis donc, c'est peut-être pour cela qu'il flotte
dans cette chambre des odeurs si singulières.

Deuxième Soldat. — Bah ! Une salle de mille
pieds carrés comme celle-ci, il suffit de quelques
morts humains pour l'empester. On dit que nos
morts ont mauvaise haleine.

Premier Soldat. — Écoute donc ! Ils se
mangent les sangs, ces hommes-là...

Deuxième Soldat. — Je te dis qu'il y a quelque
chose : le plancher craque.

> *Ils vont voir derrière le trône par la*
> *droite ; Oreste et Électre sortent par la*
> *gauche, passent devant les marches du*
> *trône et regagnent leur cachette par la*
> *droite, au moment où les soldats sortent*
> *à gauche.*

Premier Soldat. — Tu vois bien qu'il n'y a

personne. C'est Agamemnon, que je te dis, sacré Agamemnon ! Il doit être assis sur ces coussins : droit comme un I — et il nous regarde : il n'a rien à faire de son temps qu'à nous regarder.

DEUXIÈME SOLDAT. — Nous ferions mieux de rectifier la position, tant pis si les mouches nous chatouillent le nez.

PREMIER SOLDAT. — J'aimerais mieux être au corps de garde, en train de faire une bonne partie. Là-bas, les morts qui reviennent sont des copains, de simples grivetons, comme nous. Mais quand je pense que le feu roi est là, et qu'il compte les boutons qui manquent à ma veste, je me sens drôle, comme lorsque le général nous passe en revue.

> *Entrent Égisthe, Clytemnestre, des serviteurs portant des lampes.*

ÉGISTHE. — Qu'on nous laisse seuls.

SCÈNE III

ÉGISTHE, CLYTEMNESTRE, ORESTE
et ÉLECTRE (cachés)

CLYTEMNESTRE. — Qu'avez-vous ?

ÉGISTHE. — Vous avez vu ? Si je ne les avais frappés de terreur, ils se débarrassaient en un tournemain de leurs remords.

CLYTEMNESTRE. — N'est-ce que cela qui vous inquiète ? Vous saurez toujours glacer leur courage en temps voulu.

ÉGISTHE. — Il se peut. Je ne suis que trop habile à ces comédies. (*Un temps.*) Je regrette d'avoir dû punir Électre.

CLYTEMNESTRE. — Est-ce parce qu'elle est née de moi ? Il vous a plu de le faire, et je trouve bon tout ce que vous faites.

ÉGISTHE. — Femme, ce n'est pas pour toi que je le regrette.

CLYTEMNESTRE. — Alors, pourquoi ? Vous n'aimiez pas Électre.

ÉGISTHE. — Je suis las. Voici quinze ans que je tiens en l'air, à bout de bras, le remords de tout un peuple. Voici quinze ans que je m'habille comme un épouvantail : tous ces vêtements noirs ont fini par déteindre sur mon âme.

CLYTEMNESTRE. — Mais, seigneur, moi-même...

ÉGISTHE. — Je sais, femme, je sais : tu vas me parler de tes remords. Eh bien, je te les envie, ils te meublent la vie. Moi, je n'en ai pas, mais personne d'Argos n'est aussi triste que moi.

CLYTEMNESTRE. — Mon cher seigneur...

Elle s'approche de lui.

ÉGISTHE. — Laisse-moi, catin ! N'as-tu pas honte, sous ses yeux ?

CLYTEMNESTRE. — Sous ses yeux ? Qui donc nous voit ?

ÉGISTHE. — Eh bien, le roi. On a lâché les morts, ce matin.

CLYTEMNESTRE. — Seigneur, je vous en supplie... Les morts sont sous terre et ne nous gêneront pas de sitôt. Est-ce que vous avez oublié que vous-même vous inventâtes ces fables pour le peuple ?

ÉGISTHE. — Tu as raison, femme. Eh bien, tu

vois comme je suis las ? Laisse-moi, je veux me recueillir.

Clytemnestre sort.

SCÈNE IV

ÉGISTHE, ORESTE et ÉLECTRE (cachés)

ÉGISTHE. — Est-ce là, Jupiter, le roi dont tu avais besoin pour Argos ? Je vais, je viens, je sais crier d'une voix forte, je promène partout ma grande apparence terrible, et ceux qui m'aperçoivent se sentent coupables jusqu'aux moelles. Mais je suis une coque vide : une bête m'a mangé le dedans sans que je m'en aperçoive. A présent je regarde en moi-même, et je vois que je suis plus mort qu'Agamemnon. Ai-je dit que j'étais triste ? J'ai menti. Il n'est ni triste ni gai, le désert, l'innombrable néant des sables sous le néant lucide du ciel : il est sinistre. Ah ! je donnerais mon royaume pour verser une larme !

Entre Jupiter.

SCÈNE V

LES MÊMES, JUPITER

JUPITER. — Plains-toi : tu es un roi semblable à tous les rois.

ÉGISTHE. — Qui es-tu ? Que viens-tu faire ici ?

JUPITER. — Tu ne me reconnais pas ?

ÉGISTHE. — Sors d'ici, ou je te fais rosser par mes gardes.

JUPITER. — Tu ne me reconnais pas ? Tu m'as vu pourtant. C'était en songe. Il est vrai que j'avais l'air plus terrible. (*Tonnerre, éclairs, Jupiter prend l'air terrible.*) Et comme ça ?

ÉGISTHE. — Jupiter !

JUPITER. — Nous y voilà. (*Il redevient souriant, s'approche de la statue.*) C'est moi, ça ? C'est ainsi qu'ils me voient quand ils prient, les habitants d'Argos ? Parbleu, il est rare qu'un Dieu puisse contempler son image face à face. (*Un temps.*) Que je suis laid ! Ils ne doivent pas m'aimer beaucoup.

ÉGISTHE. — Ils vous craignent.

JUPITER. — Parfait ! Je n'ai que faire d'être aimé. Tu m'aimes, toi ?

ÉGISTHE. — Que me voulez-vous ? N'ai-je pas assez payé ?

JUPITER. — Jamais assez !

ÉGISTHE. — Je crève à la tâche.

JUPITER. — N'exagère pas ! Tu te portes assez bien et tu es gras. Je ne te le reproche pas, d'ailleurs. C'est de la bonne graisse royale, jaune comme le suif d'une chandelle, il en faut. Tu es taillé pour vivre encore vingt ans.

ÉGISTHE. — Encore vingt ans !

JUPITER. — Souhaites-tu mourir ?

ÉGISTHE. — Oui.

JUPITER. — Si quelqu'un entrait ici avec une épée nue, tendrais-tu ta poitrine à cette épée ?

ÉGISTHE. — Je ne sais pas.

JUPITER. — Écoute-moi bien ; si tu te laisses égorger comme un veau, tu seras puni de façon exemplaire ; tu resteras roi dans le Tartare pour l'éternité. Voilà ce que je suis venu te dire.

ÉGISTHE. — Quelqu'un cherche à me tuer ?

JUPITER. — Il paraît.

ÉGISTHE. — Électre ?

JUPITER. — Un autre aussi.

ÉGISTHE. — Qui ?

JUPITER. — Oreste.

ÉGISTHE. — Ah ! (*Un temps.*) Eh bien, c'est dans l'ordre, qu'y puis-je ?

JUPITER. — « Qu'y puis-je ? ». (*Changeant de ton.*) Ordonne sur l'heure qu'on se saisisse d'un jeune étranger qui se fait appeler Philèbe. Qu'on le jette avec Électre dans quelque basse-fosse — et je te permets de les y oublier. Eh bien ! qu'attends-tu ? Appelle tes gardes.

ÉGISTHE. — Non.

JUPITER. — Me feras-tu la faveur de me dire les raisons de ton refus ?

ÉGISTHE. — Je suis las.

JUPITER. — Pourquoi regardes-tu tes pieds ? Tourne vers moi tes gros yeux striés de sang. Là, là ! Tu es noble et bête comme un cheval. Mais ta résistance n'est pas de celles qui m'irritent : c'est le piment qui rendra, tout à l'heure, plus délicieuse encore ta soumission. Car je sais que tu finiras par céder.

ÉGISTHE. — Je vous dis que je ne veux pas entrer dans vos desseins. J'en ai trop fait.

JUPITER. — Courage ! Résiste ! Résiste ! Ah !

6

que je suis friand d'âmes comme la tienne. Tes
yeux lancent des éclairs, tu serres les poings et
tu jettes ton refus à la face de Jupiter. Mais
cependant, petite tête, petit cheval, mauvais petit
cheval, il y a beau temps que ton cœur m'a dit
oui. Allons, tu obéiras. Crois-tu que je quitte
l'Olympe sans motif ? J'ai voulu t'avertir de ce
crime, parce qu'il me plaît de l'empêcher.

ÉGISTHE. — M'avertir !... C'est bien étrange.

JUPITER. — Quoi de plus naturel au contraire :
je veux détourner ce danger de ta tête.

ÉGISTHE. — Qui vous le demandait ? Et Agamemnon, l'avez-vous averti, lui ? Pourtant il voulait vivre.

JUPITER. — O nature ingrate, ô malheureux
caractère : tu m'es plus cher qu'Agamemnon, je
te le prouve et tu te plains.

ÉGISTHE. — Plus cher qu'Agamemnon ? Moi ?
C'est Oreste qui vous est cher. Vous avez toléré
que je me perde, vous m'avez laissé courir tout
droit vers la baignoire du roi, la hache à la main
— et sans doute vous léchiez-vous les lèvres,
là-haut, en pensant que l'âme du pécheur est
délectable. Mais aujourd'hui vous protégez Oreste
contre lui-même — et moi, que vous avez poussé
à tuer le père, vous m'avez choisi pour retenir le
bras du fils. J'étais tout juste bon à faire un assassin. Mais lui, pardon, on a d'autres vues sur lui,
sans doute.

JUPITER. — Quelle étrange jalousie ! Rassure-
toi : je ne l'aime pas plus que toi. Je n'aime personne.

ÉGISTHE. — Alors. voyez ce que vous avez fait
de moi, Dieu injuste. Et répondez : si vous empê-

chez aujourd'hui le crime que médite Oreste,
pourquoi donc avoir permis le mien ?

JUPITER. — Tous les crimes ne me déplaisent
pas également. Égisthe, nous sommes entre rois,
et je te parlerai franchement : le premier crime,
c'est moi qui l'ai commis en créant les hommes
mortels. Après cela, que pouviez-vous faire, vous
autres, les assassins ? Donner la mort à vos victimes ? Allons donc ; elles la portaient déjà en
elles ; tout au plus hâtiez-vous un peu son épa-
nouissement. Sais-tu ce qui serait advenu d'Agamemnon, si tu ne l'avais pas occis ? Trois mois
plus tard il mourait d'apoplexie sur le sein d'une
belle esclave. Mais ton crime me servait.

ÉGISTHE. — Il vous servait ? Je l'expie depuis
quinze ans et il vous servait ? Malheur !

JUPITER. — Eh bien quoi ? C'est parce que tu
l'expies qu'il me sert ; j'aime les crimes qui
paient. J'ai aimé le tien parce que c'était un
meurtre aveugle et sourd, ignorant de lui-même,
antique, plus semblable à un cataclysme qu'à une
entreprise humaine. Pas un instant tu ne m'as
bravé : tu as frappé dans les transports de la
rage et de la peur ; et puis, la fièvre tombée, tu
as considéré ton acte avec horreur et tu n'as pas
voulu le reconnaître. Quel profit j'en ai tiré
cependant ! Pour un homme mort, vingt mille
autres plongés dans la repentance, voilà le bilan.
Je n'ai pas fait un mauvais marché.

ÉGISTHE. — Je vois ce que cachent tous ces discours : Oreste n'aura pas de remords.

JUPITER. — Pas l'ombre d'un. A cette heure il
tire ses plans avec méthode, la tête froide, modes-
tement. Qu'ai-je à faire d'un meurtre sans

remords, d'un meurtre insolent, d'un meurtre paisible, léger comme une vapeur dans l'âme du meurtrier. J'empêcherai cela ! Ah ! je hais les crimes de la génération nouvelle : ils sont ingrats et stériles comme l'ivraie. Il te tuera comme un poulet, le doux jeune homme, et s'en ira, les mains rouges et la conscience pure ; j'en serais humilié, à ta place. Allons ! appelle tes gardes,

ÉGISTHE. — Je vous ai dit que non. Le crime qui se prépare vous déplaît trop pour ne pas me plaire.

JUPITER, *changeant de ton.* — Égisthe, tu es roi, et c'est à ta conscience de roi que je m'adresse ; car tu aimes régner.

ÉGISTHE. — Eh bien ?

JUPITER. — Tu me hais, mais nous sommes parents ; je t'ai fait à mon image : un roi, c'est un Dieu sur la terre, noble et sinistre comme un Dieu.

ÉGISTHE. — Sinistre ? Vous ?

JUPITER. — Regarde-moi. (*Un long silence.*) Je t'ai dit que tu es fait à mon image. Nous faisons tous les deux régner l'ordre, toi dans Argos, moi dans le monde ; et le même secret pèse lourdement dans nos cœurs.

ÉGISTHE. — Je n'ai pas de secret.

JUPITER. — Si. Le même que moi. Le secret douloureux des Dieux et des rois : c'est que les hommes sont libres. Ils sont libres, Égisthe. Tu le sais, et ils ne le savent pas.

ÉGISTHE. — Parbleu, s'ils le savaient, ils mettraient le feu aux quatre coins de mon palais. Voilà quinze ans que je joue la comédie pour leur masquer leur pouvoir.

JUPITER. — Tu vois bien que nous sommes pareils.

ÉGISTHE. — Pareils ? Par quelle ironie un Dieu se dirait-il mon pareil ? Depuis que je règne, tous mes actes et toutes mes paroles visent à composer mon image ; je veux que chacun de mes sujets la porte en lui et qu'il sente, jusque dans la solitude, mon regard sévère peser sur ses pensées les plus secrètes. Mais c'est moi qui suis ma première victime : je ne me vois plus que comme ils me voient, je me penche sur le puits béant de leurs âmes, et mon image est là, tout au fond, elle me répugne et me fascine. Dieu tout-puissant, qui suis-je, sinon la peur que les autres ont de moi ?

JUPITER. — Qui donc crois-tu que je sois ? *(Désignant la statue.)* Moi aussi, j'ai mon image. Crois-tu qu'elle ne me donne pas le vertige ? Depuis cent mille ans je danse devant les hommes. Une lente et sombre danse. Il faut qu'ils me regardent : tant qu'ils ont les yeux fixés sur moi, ils oublient de regarder en eux-mêmes. Si je m'oubliais un seul instant, si je laissais leur regard se détourner...

ÉGISTHE. — Eh bien ?

JUPITER. — Laisse. Ceci ne concerne que moi. Tu es las, Égisthe, mais de quoi te plains-tu ? Tu mourras. Moi, non. Tant qu'il y aura des hommes sur cette terre, je serai condamné à danser devant eux.

ÉGISTHE. — Hélas ! Mais qui nous a condamnés ?

JUPITER. — Personne que nous-mêmes ; car nous avons la même passion. Tu aimes l'ordre, Égisthe.

Égisthe. — L'ordre. C'est vrai. C'est pour l'ordre que j'ai séduit Clytemnestre, pour l'ordre que j'ai tué mon roi ; je voulais que l'ordre règne et qu'il règne par moi. J'ai vécu sans désir, sans amour, sans espoir : j'ai fait de l'ordre. O terrible et divine passion !

Jupiter. — Nous ne pourrions en avoir d'autre : je suis Dieu, et tu es né pour être roi.

Égisthe. — Hélas !

Jupiter. — Égisthe, ma créature et mon frère mortel, au nom de cet ordre que nous servons tous deux, je te le commande : empare-toi d'Oreste et de sa sœur.

Égisthe. — Sont-ils si dangereux ?

Jupiter. — Oreste sait qu'il est libre.

Égisthe, *vivement*. — Il sait qu'il est libre. Alors ce n'est pas assez que de le jeter dans les fers. Un homme libre dans une ville, c'est comme une brebis galeuse dans un troupeau. Il va contaminer tout mon royaume et ruiner mon œuvre. Dieu tout-puissant, qu'attends-tu pour le foudroyer ?

Jupiter, *lentement*. — Pour le foudroyer ? (*Un temps. Las et voûté.*) Égisthe, les Dieux ont un autre secret...

Égisthe. — Que vas-tu me dire ?

Jupiter. — Quand une fois la liberté a explosé dans une âme d'homme, les Dieux ne peuvent plus rien contre cet homme-là. Car c'est une affaire d'hommes, et c'est aux autres hommes — à eux seuls — qu'il appartient de le laisser courir ou de l'étrangler.

Égisthe, *le regardant*. — De l'étrangler ?... C'est bien. Je t'obéirai sans doute. Mais n'ajoute rien et ne demeure pas ici plus longtemps, car je ne pourrai le supporter.

Jupiter sort.

SCÈNE VI

ÉGISTHE reste seul un moment, puis ÉLECTRE et ORESTE

ÉLECTRE, *bondissant vers la porte.* — Frappe-le ! Ne lui laisse pas le temps de crier ; je barricade la porte.

ÉGISTHE. — C'est donc toi, Oreste ?

ORESTE. — Défends-toi !

ÉGISTHE. — Je ne me défendrai pas. Il est trop tard pour que j'appelle et je suis heureux qu'il soit trop tard. Mais je ne me défendrai pas : je veux que tu m'assassines.

ORESTE. — C'est bon. Le moyen m'importe peu. Je serai donc assassin.

Il le frappe de son épée.

ÉGISTHE, *chancelant.* — Tu n'as pas manqué ton coup. (*Il se raccroche à Oreste.*) Laisse-moi te regarder. Est-ce vrai que tu n'as pas de remords ?

ORESTE. — Des remords ? Pourquoi ? Je fais ce qui est juste.

ÉGISTHE. — Ce qui est juste, c'est ce que veut Jupiter. Tu étais caché ici et tu l'as entendu.

ORESTE. — Que m'importe Jupiter ? La justice est une affaire d'hommes, et je n'ai pas besoin

d'un Dieu pour me l'enseigner. Il est juste de
t'écraser, immonde coquin, et de ruiner ton
empire sur les gens d'Argos, il est juste de leur
rendre le sentiment de leur dignité.

Il le repousse.

ÉGISTHE. — J'ai mal.

ÉLECTRE. — Il chancelle et son visage est bla-
fard. Horreur ! comme c'est laid, un homme qui
meurt.

ORESTE. — Tais-toi. Qu'il n'emporte pas d'autre
souvenir dans la tombe que celui de notre joie.

ÉGISTHE. — Soyez maudits tous deux.

ORESTE. — Tu n'en finiras donc pas, de mourir ?

Il le frappe. Égisthe tombe.

ÉGISTHE. — Prends garde aux mouches, Oreste,
prends garde aux mouches. Tout n'est pas fini.

Il meurt.

ORESTE, *le poussant du pied.* — Pour lui, tout
est fini en tout cas. Guide-moi jusqu'à la chambre
de la reine.

ÉLECTRE. — Oreste...

ORESTE. — Eh bien ?...

ÉLECTRE. — Elle ne peut plus nous nuire...

ORESTE. — Et alors ?... Je ne te reconnais pas.
Tu ne parlais pas ainsi, tout à l'heure.

ÉLECTRE. — Oreste... je ne te reconnais pas
non plus.

ORESTE. — C'est bon ; j'irai seul.

Il sort.

SCÈNE VII

ÉLECTRE seule

ÉLECTRE. — Est-ce qu'elle va crier ? (*Un temps. Elle prête l'oreille.*) Il marche dans le couloir. Quand il aura ouvert la quatrième porte... Ah ! je l'ai voulu ! Je le veux, il *faut* que je le veuille encore. (*Elle regarde Égisthe.*) Celui-ci est mort. C'est donc ça que je voulais. Je ne m'en rendais pas compte. (*Elle s'approche de lui.*) Cent fois je l'ai vu en songe, étendu à cette même place, une épée dans le cœur. Ses yeux étaient clos, il avait l'air de dormir. Comme je le haïssais, comme j'étais joyeuse de le haïr. Il n'a pas l'air de dormir, et ses yeux sont ouverts, il me regarde. Il est mort — et ma haine est morte avec lui. Et je suis là ; et j'attends, et l'autre est vivante encore, au fond de sa chambre, et tout à l'heure elle va crier. Elle va crier comme une bête. Ah ! je ne peux plus supporter ce regard. (*Elle s'agenouille et jette un manteau sur le visage d'Égisthe.*) Qu'est-ce que je voulais donc ? (*Silence. Puis cris de Clytemnestre.*) Il l'a frappée. C'était notre mère, et il l'a frappée. (*Elle se relève.*) Voici : mes ennemis sont morts. Pendant des années, j'ai joui de cette mort par avance, et, à présent, mon cœur est serré dans un étau. Est-ce que je me suis menti pendant quinze ans ? Ça n'est pas vrai ! Ça n'est pas vrai ! Ça ne peut pas être

vrai : je ne suis pas lâche ! Cette minute-ci, je
l'ai voulue et je la veux encore. J'ai voulu voir
ce porc immonde couché à mes pieds. (*Elle
arrache le manteau.*) Que m'importe ton regard
de poisson mort. Je l'ai voulu, ce regard, et j'en
jouis. (*Cris plus faibles de Clytemnestre.*) Qu'elle
crie ! Qu'elle crie ! Je veux ses cris d'horreur et
je veux ses souffrances. (*Les cris cessent.*) Joie !
Joie ! Je pleure de joie : mes ennemis sont morts
et mon père est vengé.

> *Oreste rentre, une épée sanglante à la
> main. Elle court à lui.*

SCÈNE VIII

ÉLECTRE, ORESTE

ÉLECTRE. — Oreste !
> *Elle se jette dans ses bras.*
ORESTE. — De quoi as-tu peur ?

ÉLECTRE. — Je n'ai pas peur, je suis ivre. Ivre
de joie. Qu'a-t-elle dit ? A-t-elle longtemps im-
ploré sa grâce ?

ORESTE. — Électre, je ne me repentirai pas de
ce que j'ai fait, mais je ne juge pas bon d'en parler : il y a des souvenirs qu'on ne partage pas.
Sache seulement qu'elle est morte.

ÉLECTRE. — En nous maudissant ? Dis-moi seulement cela : en nous maudissant ?

ORESTE. — Oui. En nous maudissant.

ÉLECTRE. — Prends-moi dans tes bras, mon

bien-aimé, et serre-moi de toutes tes forces.
Comme la nuit est épaisse et comme les lumières
de ces flambeaux ont de la peine à la percer !
M'aimes-tu ?

ORESTE. — Il ne fait pas nuit : c'est le point
du jour. Nous sommes libres, Électre. Il me
semble que je t'ai fait naître et que je viens de
naître avec toi ; je t'aime et tu m'appartiens.
Hier encore j'étais seul et aujourd'hui tu m'appartiens. Le sang nous unit doublement, car nous
sommes de même sang et nous avons versé le
sang.

ÉLECTRE. — Jette ton épée. Donne-moi cette
main. (*Elle lui prend la main et l'embrasse.*) Tes
doigts sont courts et carrés. Ils sont faits pour
prendre et pour tenir. Chère main ! Elle est plus
blanche que la mienne. Comme elle s'est faite
lourde pour frapper les assassins de notre père !
Attends. (*Elle va chercher un flambeau et elle
l'approche d'Oreste.*) Il faut que j'éclaire ton
visage, car la nuit s'épaissit et je ne te vois plus
bien. J'ai besoin de te voir : quand je ne te vois
plus, j'ai peur de toi ; il ne faut pas que je te
quitte des yeux. Je t'aime. Il faut que je pense
que je t'aime. Comme tu as l'air étrange !

ORESTE. — Je suis libre, Électre ; la liberté a
fondu sur moi comme la foudre.

ÉLECTRE. — Libre ? Moi, je ne me sens pas
libre. Peux-tu faire que tout ceci n'ait pas été ?
Quelque chose est arrivé que nous ne sommes
plus libres de défaire. Peux-tu empêcher que nous
soyons pour toujours les assassins de notre mère ?

ORESTE. — Crois-tu que je voudrais l'empêcher ? J'ai fait *mon* acte, Électre, et cet acte était

bon. Je le porterai sur mes épaules comme un
passeur d'eau porte les voyageurs, je le ferai passer sur l'autre rive et j'en rendrai compte. Et
plus il sera lourd à porter, plus je me réjouirai,
car ma liberté, c'est lui. Hier encore, je marchais
au hasard sur la terre, et des milliers de chemins
fuyaient sous mes pas, car ils appartenaient à
d'autres. Je les ai tous empruntés, celui des
haleurs, qui court au long de la rivière, et le sentier du muletier et la route pavée des conducteurs
de chars ; mais aucun n'était à moi. Aujourd'hui,
il n'y en a plus qu'un, et Dieu sait où il mène :
mais c'est *mon* chemin. Qu'as-tu ?

ÉLECTRE. — Je ne peux plus te voir ! Ces
lampes n'éclairent pas. J'entends ta voix, mais
elle me fait mal, elle me coupe comme un couteau. Est-ce qu'il fera toujours aussi noir, désormais, même le jour ? Oreste ! Les voilà !

ORESTE. — Qui ?

ÉLECTRE. — Les voilà ! D'où viennent-elles ?
Elles pendent du plafond comme des grappes de
raisins noirs, et ce sont elles qui noircissent les
murs ; elles se glissent entre les lumières et mes
yeux, et ce sont leurs ombres qui me dérobent
ton visage.

ORESTE. — Les mouches...

ÉLECTRE. — Écoute !... Écoute le bruit de leurs
ailes, pareil au ronflement d'une forge. Elles nous
entourent, Oreste. Elles nous guettent ; tout à
l'heure elles s'abattront sur nous, et je sentirai
mille pattes gluantes sur mon corps. Où fuir,
Oreste ? Elles enflent, elles enflent, les voilà
grosses comme des abeilles, elles nous suivront
partout en épais tourbillons. Horreur ! Je vois

leurs yeux, leurs millions d'yeux qui nous regardent.

ORESTE. — Que nous importent les mouches ?

ÉLECTRE. — Ce sont les Érinnyes, Oreste, les
déesses du remords.

DES VOIX, *derrière la porte.* — Ouvrez ! Ouvrez ! S'ils n'ouvrent pas, il faut enfoncer la
porte.

Coups sourds dans la porte.

ORESTE. — Les cris de Clytemnestre ont attiré
des gardes. Viens ! Conduis-moi au sanctuaire
d'Apollon ; nous y passerons la nuit, à l'abri des
hommes et des mouches. Demain je parlerai à
mon peuple.

Rideau.

ACTE III

SCÈNE PREMIÈRE

Le temple d'Apollon. Pénombre. Une statue d'Apollon au milieu de la scène. Électre et Oreste dorment au pied de la statue, entourant ses jambes de leurs bras. Les Érinnyes, en cercle, les entourent ; elles dorment debout, comme des échassiers. Au fond, une lourde porte de bronze.

PREMIÈRE ÉRINNYE, *s'étirant.* — Haaah ! J'ai dormi debout, toute droite de colère, et j'ai fait d'énormes rêves irrités. O belle fleur de rage, belle fleur rouge en mon cœur. (*Elle tourne autour d'Oreste et d'Électre.*) Ils dorment. Comme ils sont blancs, comme ils sont doux ! Je leur roulerai sur le ventre et sur la poitrine comme un torrent sur des cailloux. Je polirai patiemment cette chair fine, je la frotterai, je la raclerai, je l'userai jusqu'à l'os. (*Elle fait quelques pas.*) O pur matin de haine ! Quel splendide réveil : ils dorment, ils sont moites, ils sentent la fièvre ; moi, je veille, fraîche et dure, mon âme est de cuivre — et je me sens sacrée.

ÉLECTRE, *endormie.* — Hélas !

7

PREMIÈRE ÉRINNYE. — Elle gémit. Patience, tu connaîtras bientôt nos morsures, nous te ferons hurler sous nos caresses. J'entrerai en toi comme le mâle en la femelle, car tu es mon épouse, et tu sentiras le poids de mon amour. Tu es belle, Électre, plus belle que moi ; mais, tu verras, mes baisers font vieillir ; avant six mois, je t'aurai cassée comme une vieillarde, et moi, je resterai jeune. (*Elle se penche sur eux.*) Ce sont de belles proies périssables et bonnes à manger ; je les regarde, je respire leur haleine et la colère m'étouffe. O délices de se sentir un petit matin de haine, délices de se sentir griffes et mâchoires, avec du feu dans les veines. La haine m'inonde et me suffoque, elle monte dans mes seins comme du lait. Réveillez-vous, mes sœurs, réveillez-vous : voici le matin.

DEUXIÈME ÉRINNYE. — Je rêvais que je mordais.

PREMIÈRE ÉRINNYE. — Prends patience : un Dieu les protège aujourd'hui, mais bientôt la soif et la faim les chasseront de cet asile. Alors, tu les mordras de toutes tes dents.

TROISIÈME ÉRINNYE. — Haaah ! Je veux griffer.

PREMIÈRE ÉRINNYE. — Attends un peu : bientôt tes ongles de fer traceront mille sentiers rouges dans la chair des coupables. Approchez, mes sœurs, venez les voir.

UNE ÉRINNYE. — Comme ils sont jeunes !

UNE AUTRE ÉRINNYE. — Comme ils sont beaux !

PREMIÈRE ÉRINNYE. — Réjouissez-vous : trop souvent les criminels sont vieux et laids ; elle n'est que trop rare, la joie exquise de détruire ce qui est beau.

LES ÉRINNYES. — Héiah ! Héiahah !

TROISIÈME ÉRINNYE. — Oreste est presque un enfant. Ma haine aura pour lui des douceurs maternelles. Je prendrai sur mes genoux sa tête pâle, je caresserai ses cheveux.

PREMIÈRE ÉRINNYE. — Et puis ?

TROISIÈME ÉRINNYE. — Et puis je plongerai tout d'un coup les deux doigts que voilà dans ses yeux.

Elles se mettent toutes à rire.

PREMIÈRE ÉRINNYE. — Ils soupirent, ils s'agitent ; leur réveil est proche. Allons, mes sœurs, mes sœurs les mouches, tirons les coupables du sommeil par notre chant.

CHŒUR DES ÉRINNYES. — Bzz, bzz, bzz, bzz.

Nous nous poserons sur ton cœur pourri comme des mouches sur une tartine,

Cœur pourri, cœur saigneux, cœur délectable.

Nous butinerons comme des abeilles le pus et la sanie de ton cœur.

Nous en ferons du miel, tu verras, du beau miel vert.

Quel amour nous comblerait autant que la haine ?

Bzz, bzz, bzz, bzz.

Nous serons les yeux fixes des maisons,

Le grondement du molosse qui découvrira les dents sur ton passage,

Le bourdonnement qui volera dans le ciel au-dessus de ta tête,

Les bruits de la forêt,

Les sifflements, les craquements, les chuintements, les hululements,

Nous serons la nuit,

L'épaisse nuit de ton âme.

Bzz, bzz, bzz, bzz,
Héiah ! héiah ! héiahah !
Bzz, bzz, bzz, bzz,
Nous sommes les suceuses de pus, les mouches,
Nous partagerons tout avec toi,
Nous irons chercher la nourriture dans ta bouche et le rayon de lumière au fond de tes yeux,
Nous t'escorterons jusqu'à la tombe
Et nous ne céderons la place qu'aux vers.
Bzz, bzz, bzz, bzz.

Elles dansent.

ÉLECTRE, *qui s'éveille.* — Qui parle ? Qui êtes-vous ?

LES ÉRINNYES. — Bzz, bzz, bzz.

ÉLECTRE. — Ah ! vous voilà. Alors ? Nous les avons tués pour de bon ?

ORESTE, *s'éveillant.* — Électre !

ÉLECTRE. — Qui es-tu, toi ? Ah ! tu es Oreste. Va-t'en.

ORESTE. — Qu'as-tu donc ?

ÉLECTRE. — Tu me fais peur. J'ai rêvé que notre mère était tombée à la renverse et qu'elle saignait, et son sang coulait en rigoles sous toutes les portes du palais. Touche mes mains, elles sont froides. Non, laisse-moi. Ne me touche pas. Est-ce qu'elle a beaucoup saigné ?

ORESTE. — Tais-toi.

ÉLECTRE, *s'éveillant tout à fait.* — Laisse-moi te regarder : tu les as tués. C'est toi qui les as tués. Tu es là, tu viens de t'éveiller, il n'y a rien d'écrit sur ton visage, et pourtant tu les as tués.

ORESTE. — Eh bien ? Oui, je les ai tués ! (*Un temps.*) Toi aussi, tu me fais peur. Tu étais si belle, hier. On dirait qu'une bête t'a ravagé la face avec ses griffes.

ÉLECTRE. — Une bête ? Ton crime. Il m'arrache les joues et les paupières : il me semble que mes yeux et mes dents sont nus. Et celles-ci ? Qui sont-elles ?

ORESTE. — Ne pense pas à elles. Elles ne peuvent rien contre toi.

PREMIÈRE ÉRINNYE. — Qu'elle vienne au milieu de nous, si elle l'ose, et tu verras si nous ne pouvons rien contre elle.

ORESTE. — Paix, chiennes. A la niche ! (*Les Érinnyes grondent.*) Celle qui hier, en robe blanche, dansait sur les marches du temple, est-il possible que ce fût toi ?

ÉLECTRE. — J'ai vieilli. En une nuit.

ORESTE. — Tu es encore belle, mais... où donc ai-je vu ces yeux morts ? Électre... tu lui ressembles ; tu ressembles à Clytemnestre. Était-ce la peine de la tuer ? Quand je vois mon crime dans ces yeux-là, il me fait horreur.

PREMIÈRE ÉRINNYE. — C'est qu'elle a horreur de toi.

ORESTE. — Est-ce vrai ? Est-ce vrai que je te fais horreur ?

ÉLECTRE. — Laisse-moi.

PREMIÈRE ÉRINNYE. — Eh bien ? Te reste-t-il le moindre doute ? Comment ne te haïrait-elle pas ? Elle vivait tranquille avec ses rêves, tu es venu, apportant le carnage et le sacrilège. Et la voilà, partageant ta faute, rivée sur ce piédestal, le seul morceau de terre qui lui reste.

ORESTE. — Ne l'écoute pas.

PREMIÈRE ÉRINNYE. — Arrière ! Arrière !

Chasse-le, Électre, ne te laisse pas toucher par sa main. C'est un boucher ! Il a sur lui la fade odeur du sang frais. Il a tué la vieille très malproprement, tu sais, en s'y reprenant à plusieurs fois.

ÉLECTRE. — Tu ne mens pas ?

PREMIÈRE ÉRINNYE. — Tu peux me croire, j'étais là, je bourdonnais autour d'eux.

ÉLECTRE. — Et il a frappé plusieurs coups ?

PREMIÈRE ÉRINNYE. — Une bonne dizaine. Et, chaque fois, l'épée faisait « cric » dans la blessure. Elle se protégeait le visage et le ventre avec les mains, et il lui a tailladé les mains.

ÉLECTRE. — Elle a beaucoup souffert ? Elle n'est pas morte sur l'heure ?

ORESTE. — Ne les regarde plus, bouche-toi les oreilles, ne les interroge pas surtout ; tu es perdue si tu les interroges.

PREMIÈRE ÉRINNYE. — Elle a souffert horriblement.

ÉLECTRE, se cachant la figure de ses mains. — Ha !

ORESTE. — Elle veut nous séparer, elle dresse autour de toi les murs de la solitude. Prends garde : quand tu seras bien seule, toute seule et sans recours, elles fondront sur toi. Électre, nous avons décidé ce meurtre ensemble, et nous devons en supporter les suites ensemble.

ÉLECTRE. — Tu prétends que je l'ai voulu ?

ORESTE. — N'est-ce pas vrai ?

ÉLECTRE. — Non, ce n'est pas vrai... Attends... Si ! Ah ! je ne sais plus. J'ai rêvé ce crime. Mais toi, tu l'as commis, bourreau de ta propre mère.

LES ÉRINNYES, riant et criant. — Bourreau ! Bourreau ! Boucher !

ORESTE. — Électre, derrière cette porte, il y a
le monde. Le monde et le matin. Dehors, le soleil
se lève sur les routes. Nous sortirons bientôt, nous
irons sur les routes ensoleillées, et ces filles de
la nuit perdront leur puissance : les rayons du
jour les transperceront comme des épées.

ÉLECTRE. — Le soleil...

PREMIÈRE ÉRINNYE. — Tu ne reverras jamais le
soleil, Électre. Nous nous masserons entre lui et
toi comme une nuée de sauterelles et tu emporteras partout la nuit sur ta tête.

ÉLECTRE. — Laissez-moi ! Cessez de me torturer !

ORESTE. — C'est ta faiblesse qui fait leur force.
Vois : elles n'osent rien me dire. Écoute : une
horreur sans nom s'est posée sur toi et nous
sépare. Pourtant qu'as-tu donc vécu que je n'aie
vécu ? Les gémissements de ma mère, crois-tu que
mes oreilles cesseront jamais de les entendre ? Et
ses yeux immenses — deux océans démontés —
dans son visage de craie, crois-tu que mes yeux
cesseront jamais de les voir ? Et l'angoisse qui
te dévore, crois-tu qu'elle cessera jamais de me
ronger ? Mais que m'importe : je suis libre. Par
delà l'angoisse et les souvenirs. Libre. Et d'accord
avec moi. Il ne faut pas te haïr toi-même, Électre.
Donne-moi la main : je ne t'abandonnerai pas.

ÉLECTRE. — Lâche ma main ! Ces chiennes
noires autour de moi m'effraient, mais moins que
toi.

PREMIÈRE ÉRINNYE. — Tu vois ! Tu vois ! N'est-
ce pas, petite poupée, nous te faisons moins peur
que lui ? Tu as besoin de nous, Électre, tu es
notre enfant. Tu as besoin de nos ongles pour

fouiller ta chair, tu as besoin de nos dents pour
mordre ta poitrine, tu as besoin de notre amour
cannibale pour te détourner de la haine que tu te
portes, tu as besoin de souffrir dans ton corps
pour oublier les souffrances de ton âme. Viens !
Viens ! Tu n'as que deux marches à descendre,
nous te recevrons dans nos bras, nos baisers
déchireront ta chair fragile, et ce sera l'oubli,
l'oubli au grand feu pur de la douleur.

Les Érinnyes. — Viens ! Viens !

    *Elles dansent très lentement comme
pour la fasciner. Électre se lève.*

Oreste, *la saisissant par le bras.* — N'y va
pas, je t'en supplie, ce serait ta perte.

Électre, *se dégageant avec violence.* — Ha !
je te hais.

    *Elle descend les marches, les Érinnyes
se jettent toutes sur elle.*

Électre. — Au secours !

                Entre Jupiter.

SCÈNE II

LES MÊMES, JUPITER

Jupiter. — A la niche !

Première Érinnye. — Le maître !

    *Les Érinnyes s'écartent à regret, lais-
sant Électre étendue par terre.*

Jupiter. — Pauvres enfants. (*Il s'avance vers
Électre.*) Voilà donc où vous en êtes ? La colère

et la pitié se disputent mon cœur. Relève-toi, Électre : tant que je serai là, mes chiennes ne te feront pas de mal. (*Il l'aide à se relever.*) Quel terrible visage. Une seule nuit ! Une seule nuit ! Où est ta fraîcheur paysanne ? En une seule nuit ton foie, tes poumons et ta rate se sont usés, ton corps n'est plus qu'une grosse misère. Ah ! présomptueuse et folle jeunesse, que de mal vous vous êtes fait !

ORESTE. — Quitte ce ton bonhomme : il sied mal au roi des Dieux.

JUPITER. — Et toi, quitte ce ton fier : il ne convient guère à un coupable en train d'expier son crime.

ORESTE. — Je ne suis pas un coupable, et tu ne saurais me faire expier ce que je ne reconnais pas pour un crime.

JUPITER. — Tu te trompes peut-être, mais patience : je ne te laisserai pas longtemps dans l'erreur.

ORESTE. — Tourmente-moi tant que tu voudras : je ne regrette rien.

JUPITER. — Pas même l'abjection où ta sœur est plongée par ta faute ?

ORESTE. — Pas même.

JUPITER. — Électre, l'entends-tu ? Voilà celui qui prétendait t'aimer.

ORESTE. — Je l'aime plus que moi-même. Mais ses souffrances viennent d'elle, c'est elle seule qui peut s'en délivrer : elle est libre.

JUPITER. — Et toi? Tu es libre aussi, peut-être?

ORESTE. — Tu le sais bien.

JUPITER. — Regarde-toi, créature impudente et

stupide : tu as grand air, en vérité, tout recro-
quevillé entre les jambes d'un Dieu secourable,
avec ces chiennes affamées qui t'assiègent. Si tu
oses prétendre que tu es libre, alors il faudra
vanter la liberté du prisonnier chargé de chaînes,
au fond d'un cachot, et de l'esclave crucifié.

ORESTE. — Pourquoi pas ?

JUPITER. — Prends garde : tu fais le fanfaron
parce qu'Apollon te protège. Mais Apollon est
mon très obéissant serviteur. Si je lève un doigt,
il t'abandonne.

ORESTE. — Eh bien, lève le doigt, lève la main
entière.

JUPITER. — A quoi bon ? Ne t'ai-je pas dit que
je répugnais à punir ? Je suis venu pour vous
sauver.

ÉLECTRE. — Nous sauver ? Cesse de te moquer,
maître de la vengeance et de la mort, car il n'est
pas permis — fût-ce à un Dieu — de donner à
ceux qui souffrent un espoir trompeur.

JUPITER. — Dans un quart d'heure, tu peux
être hors d'ici.

ÉLECTRE. — Saine et sauve ?

JUPITER. — Tu as ma parole.

ÉLECTRE. — Qu'exigeras-tu de moi en retour ?

JUPITER. — Je ne te demande rien, mon enfant.

ÉLECTRE. — Rien ? T'ai-je bien entendu, Dieu
bon, Dieu adorable ?

JUPITER. — Ou presque rien. Ce que tu peux
me donner le plus aisément : un peu de repentir.

ORESTE. — Prends garde, Électre : ce rien
pèsera sur ton âme comme une montagne.

JUPITER, à Électre. — Ne l'écoute pas. Réponds-
moi plutôt : comment n'accepterais-tu pas de désa-

vouer ce crime ; c'est un autre qui l'a commis.
A peine peut-on dire que tu fus sa complice.

ORESTE. — Électre ! Vas-tu renier quinze ans
de haine et d'espoir ?

JUPITER. — Qui parle de renier ? Elle n'a
jamais voulu cet acte sacrilège.

ÉLECTRE. — Hélas !

JUPITER. — Allons ! Tu peux me faire confiance. Est-ce que je ne lis pas dans les cœurs ?

ÉLECTRE, *incrédule*. — Et tu lis dans le mien
que je n'ai pas voulu ce crime ? Quand j'ai rêvé
quinze ans de meurtre et de vengeance ?

JUPITER. — Bah ! Ces rêves sanglants qui te
berçaient, ils avaient une espèce d'innocence : ils
te masquaient ton esclavage, ils pansaient les
blessures de ton orgueil. Mais tu n'as jamais
songé à les réaliser. Est-ce que je me trompe ?

ÉLECTRE. — Ah ! mon Dieu, mon Dieu chéri,
comme je souhaite que tu ne te trompes pas !

JUPITER. — Tu es une toute petite fille, Électre.
Les autres petites filles souhaitent de devenir les
plus riches ou les plus belles de toutes les femmes.
Et toi, fascinée par l'atroce destin de ta race, tu
as souhaité de devenir la plus douloureuse et la
plus criminelle. Tu n'as jamais voulu le mal : tu
n'as voulu que ton propre malheur. A ton âge,
les enfants jouent encore à la poupée ou à la
marelle ; et toi, pauvre petite, sans jouets ni com-
pagnes, tu as joué au meurtre, parce que c'est
un jeu qu'on peut jouer toute seule.

ÉLECTRE. — Hélas ! Hélas ! Je t'écoute et je
vois clair en moi.

ORESTE. — Électre ! Électre ! C'est à présent
que tu es coupable. Ce que tu as voulu, qui peut

le savoir, si ce n'est toi ? Laisseras-tu un autre
en décider ? Pourquoi déformer un passé qui ne
peut plus se défendre ? Pourquoi renier cette
Électre irritée que tu fus, cette jeune déesse de
la haine que j'ai tant aimée ? Et ne vois-tu pas
que ce Dieu cruel se joue de toi ?

JUPITER. — Me jouer de vous ? Écoutez plutôt
ce que je vous propose : si vous répudiez votre
crime, je vous installe tous deux sur le trône
d'Argos.

ORESTE. — A la place de nos victimes ?

JUPITER. — Il le faut bien.

ORESTE. — Et j'endosserai les vêtements tièdes
encore du défunt roi ?

JUPITER. — Ceux-là ou d'autres, peu importe.

ORESTE. — Oui ; pourvu qu'ils soient noirs,
n'est-ce pas ?

JUPITER. — N'es-tu pas en deuil ?

ORESTE. — En deuil de ma mère, je l'oubliais.
Et mes sujets, faudra-t-il aussi que je les habille
de noir ?

JUPITER. — Ils le sont déjà.

ORESTE. — C'est vrai. Laissons-leur le temps
d'user leurs vieux vêtements. Eh bien ? As-tu
compris, Électre ? Si tu verses quelques larmes,
on t'offre les jupons et les chemises de Clytemnestre — ces chemises puantes et souillées que tu
as lavées quinze ans de tes propres mains. Son
rôle aussi t'attend, tu n'auras qu'à le reprendre ;
l'illusion sera parfaite, tout le monde croira
revoir ta mère, car tu t'es mise à lui ressembler.
Moi, je suis plus dégoûté : je n'enfilerai pas les
culottes du bouffon que j'ai tué.

Jupiter. — Tu lèves bien haut la tête : tu as frappé un homme qui ne se défendait pas et une vieille qui demandait grâce ; mais celui qui t'entendrait parler sans te connaître pourrait croire que tu as sauvé ta ville natale, en combattant seul contre trente.

Oreste. — Peut-être, en effet, ai-je sauvé ma ville natale.

Jupiter. — Toi ? Sais-tu ce qu'il y a derrière cette porte ? Les hommes d'Argos — tous les hommes d'Argos. Ils attendent leur sauveur avec des pierres, des fourches et des triques pour lui prouver leur reconnaissance. Tu es seul comme un lépreux.

Oreste. — Oui.

Jupiter. — Va, n'en tire pas orgueil. C'est dans la solitude du mépris et de l'horreur qu'ils t'ont rejeté, ô le plus lâche des assassins.

Oreste. — Le plus lâche des assassins, c'est celui qui a des remords.

Jupiter. — Oreste ! Je t'ai créé et j'ai créé toute chose : regarde. (*Les murs du temple s'ouvrent. Le ciel apparaît, constellé d'étoiles qui tournent. Jupiter est au fond de la scène. Sa voix est devenue énorme — microphone — mais on le distingue à peine.*) Vois ces planètes qui roulent en ordre, sans jamais se heurter : c'est moi qui en ai réglé le cours, selon la justice. Entends l'harmonie des sphères, cet énorme chant de grâces minéral qui se répercute aux quatre coins du ciel. (*Mélodrame.*) Par moi les espèces se perpétuent, j'ai ordonné qu'un homme engendre toujours un homme et que le petit du chien soit un chien, par moi la douce langue des marées vient

lécher le sable et se retire à heure fixe, je fais
croître les plantes, et mon souffle guide autour de
la terre les nuages jaunes du pollen. Tu n'es pas
chez toi, intrus ; tu es dans le monde comme
l'écharde dans la chair, comme le braconnier
dans la forêt seigneuriale : car le monde est bon ;
je l'ai créé selon ma volonté et je suis le Bien.
Mais toi, tu as fait le mal, et les choses t'accusent
de leurs voix pétrifiées : le Bien est partout, c'est
la moelle du sureau, la fraîcheur de la source, le
grain du silex, la pesanteur de la pierre ; tu le
retrouveras jusque dans la nature du feu et de la
lumière, ton corps même te trahit, car il se
conforme à mes prescriptions. Le Bien est en toi,
hors de toi : il te pénètre comme une faux, il
t'écrase comme une montagne, il te porte et te
roule comme une mer ; c'est lui qui permit le
succès de ta mauvaise entreprise, car il fut la
clarté des chandelles, la dureté de ton épée, la
force de ton bras. Et ce Mal dont tu es si fier,
dont tu te nommes l'auteur, qu'est-il sinon un
reflet de l'être, un faux-fuyant, une image trom-
peuse dont l'existence même est soutenue par le
Bien. Rentre en toi-même, Oreste : l'univers te
donne tort, et tu es un ciron dans l'univers. Rentre
dans la nature, fils dénaturé : connais ta faute,
abhorre-la, arrache-la de toi comme une dent
cariée et puante. Ou redoute que la mer ne se
retire devant toi, que les sources ne se tarissent
sur ton chemin, que les pierres et les rochers ne
roulent hors de ta route et que la terre ne s'effrite
sous tes pas.

ORESTE. — Qu'elle s'effrite ! Que les rochers
me condamnent et que les plantes se fanent sur

mon passage : tout ton univers ne suffira pas à
me donner tort. Tu es le roi des Dieux, Jupiter,
le roi des pierres et des étoiles, le roi des vagues
de la mer. Mais tu n'es pas le roi des hommes.

>   *Les murailles se rapprochent, Jupiter*
>   *réapparaît, las et voûté ; il a repris sa*
>   *voix naturelle.*

JUPITER. — Je ne suis pas ton roi, larve impudente. Qui donc t'a créé ?

ORESTE. — Toi. Mais il ne fallait pas me créer
libre.

JUPITER. — Je t'ai donné ta liberté pour me
servir.

ORESTE. — Il se peut, mais elle s'est retournée
contre toi et nous n'y pouvons rien, ni l'un ni
l'autre.

JUPITER. — Enfin ! Voilà l'excuse.

ORESTE. — Je ne m'excuse pas.

JUPITER. — Vraiment ? Sais-tu qu'elle ressemble beaucoup à une excuse, cette liberté dont
tu te dis l'esclave ?

ORESTE. — Je ne suis ni le maître ni l'esclave,
Jupiter. Je *suis* ma liberté ! A peine m'as-tu créé
que j'ai cessé de t'appartenir.

ÉLECTRE. — Par notre père, Oreste, je t'en
conjure, ne joins pas le blasphème au crime.

JUPITER. — Écoute-la. Et perds l'espoir de la
ramener par tes raisons : ce langage semble assez
neuf pour ses oreilles — et assez choquant.

ORESTE. — Pour les miennes aussi, Jupiter. Et
pour ma gorge qui souffle les mots et pour ma
langue qui les façonne au passage : j'ai de la
peine à me comprendre. Hier encore tu étais un

voile sur mes yeux, un bouchon de cire dans mes
oreilles ; c'était hier que j'avais une excuse : tu
étais mon excuse d'exister, car tu m'avais mis
au monde pour servir tes desseins, et le monde
était une vieille entremetteuse qui me parlait de
toi, sans cesse. Et puis tu m'as abandonné.

JUPITER. — T'abandonner, moi ?

ORESTE. — Hier, j'étais près d'Électre ; toute
ta nature se pressait autour de moi ; elle chantait
ton Bien, la sirène, et me prodiguait les conseils.
Pour m'inciter à la douceur, le jour brûlant
s'adoucissait comme un regard se voile ; pour me
prêcher l'oubli des offenses, le ciel s'était fait
suave comme un pardon. Ma jeunesse, obéissant
à tes ordres, s'était levée, elle se tenait devant
mon regard, suppliante comme une fiancée qu'on
va délaisser : je voyais ma jeunesse pour la dernière fois. Mais, tout à coup, la liberté a fondu
sur moi et m'a transi, la nature a sauté en arrière,
et je n'ai plus eu d'âge, et je me suis senti tout
seul, au milieu de ton petit monde bénin, comme
quelqu'un qui a perdu son ombre ; et il n'y a
plus rien eu au ciel, ni Bien ni Mal, ni personne
pour me donner des ordres.

JUPITER. — Eh bien ? Dois-je admirer la brebis
que la gale retranche du troupeau, ou le lépreux
enfermé dans son lazaret ? Rappelle-toi, Oreste :
tu as fait partie de mon troupeau, tu paissais
l'herbe de mes champs au milieu de mes brebis.
Ta liberté n'est qu'une gale qui te démange, elle
n'est qu'un exil.

ORESTE. — Tu dis vrai : un exil.

JUPITER. — Le mal n'est pas si profond : il
date d'hier. Reviens parmi nous. Reviens : vois

comme tu es seul, ta sœur même t'abandonne.
Tu es pâle, et l'angoisse dilate tes yeux. Espères-
tu vivre ? Te voilà rongé par un mal inhumain,
étranger à ma nature, étranger à toi-même.
Reviens : je suis l'oubli, je suis le repos.

ORESTE. — Étranger à moi-même, je sais. Hors
nature, contre nature, sans excuse, sans autre
recours qu'en moi. Mais je ne reviendrai pas sous
ta loi : je suis condamné à n'avoir d'autre loi que
la mienne. Je ne reviendrai pas à ta nature : mille
chemins y sont tracés qui conduisent vers toi,
mais je ne peux suivre que mon chemin. Car je
suis un homme, Jupiter, et chaque homme doit
inventer son chemin. La nature a horreur de
l'homme, et toi, toi, souverain des Dieux, toi
aussi tu as les hommes en horreur.

JUPITER. — Tu ne mens pas : quand ils te ressemblent, je les hais.

ORESTE. — Prends garde : tu viens de faire
l'aveu de ta faiblesse. Moi, je ne te hais pas. Qu'y
a-t-il de toi à moi ? Nous glisserons l'un contre
l'autre sans nous toucher, comme deux navires.
Tu es un Dieu et je suis libre : nous sommes
pareillement seuls et notre angoisse est pareille.
Qui te dit que je n'ai pas cherché le remords, au
cours de cette longue nuit ? Le remords. Le sommeil. Mais je ne peux plus avoir de remords. Ni
dormir.

Un silence.

JUPITER. — Que comptes-tu faire ?

ORESTE. — Les hommes d'Argos sont mes
hommes. Il faut que je leur ouvre les yeux.

JUPITER. — Pauvres gens ! Tu vas leur faire
cadeau de la solitude et de la honte, tu vas arra-

cher les étoffes dont je les avais couverts, et tu leur montreras soudain leur existence, leur obscène et fade existence, qui leur est donnée pour rien.

ORESTE. — Pourquoi leur refuserais-je le désespoir qui est en moi, puisque c'est leur lot ?

JUPITER. — Qu'en feront-ils ?

ORESTE. — Ce qu'ils voudront : ils sont libres, et la vie humaine commence de l'autre côté du désespoir.

Un silence.

JUPITER. — Eh bien, Oreste, tout ceci était prévu. Un homme devait venir annoncer mon crépuscule. C'est donc toi ? Qui l'aurait cru, hier, en voyant ton visage de fille ?

ORESTE. — L'aurais-je cru moi-même ? Les mots que je dis sont trop gros pour ma bouche, ils la déchirent ; le destin que je porte est trop lourd pour ma jeunesse, il l'a brisée.

JUPITER. — Je ne t'aime guère et pourtant je te plains.

ORESTE. — Je te plains aussi.

JUPITER. — Adieu, Oreste. (*Il fait quelques pas.*) Quant à toi, Électre, songe à ceci : mon règne n'a pas encore pris fin, tant s'en faut — et je ne veux pas abandonner la lutte. Vois si tu es avec moi ou contre moi. Adieu.

ORESTE. — Adieu.

Jupiter sort.

SCÈNE III

LES MÊMES, moins JUPITER

Électre se lève lentement.

ORESTE. — Où vas-tu ?

ÉLECTRE. — Laisse-moi. Je n'ai rien à te dire.

ORESTE. — Toi que je connais d'hier, faut-il te perdre pour toujours ?

ÉLECTRE. — Plût aux Dieux que je ne t'eusse jamais connu.

ORESTE. — Électre ! Ma sœur, ma chère Électre ! Mon unique amour, unique douceur de ma vie, ne me laisse pas tout seul, reste avec moi.

ÉLECTRE. — Voleur ! Je n'avais presque rien à moi, qu'un peu de calme et quelques rêves. Tu m'as tout pris, tu as volé une pauvresse. Tu étais mon frère, le chef de notre famille, tu devais me protéger : mais tu m'as plongée dans le sang, je suis rouge comme un bœuf écorché ; toutes les mouches sont après moi, les voraces, et mon cœur est une ruche horrible !

ORESTE. — Mon amour, c'est vrai, je t'ai tout pris, et je n'ai rien à te donner — que mon crime. Mais c'est un immense présent. Crois-tu qu'il ne pèse pas sur mon âme comme du plomb ? Nous étions trop légers, Électre : à présent nos pieds s'enfoncent dans la terre comme les roues d'un char dans une ornière. Viens, nous allons partir et nous marcherons à pas lourds, courbés sous notre précieux fardeau. Tu me donneras la main et nous irons...

ÉLECTRE. — Où ?

ORESTE. — Je ne sais pas ; vers nous-mêmes. De l'autre côté des fleuves et des montagnes il y a un Oreste et une Électre qui nous attendent. Il faudra les chercher patiemment.

ÉLECTRE. — Je ne veux plus t'entendre. Tu ne m'offres que le malheur et le dégoût. (*Elle bondit sur la scène. Les Érinnyes se rapprochent lentement.*) Au secours ! Jupiter, roi des Dieux et des hommes, mon roi, prends-moi dans tes bras, emporte-moi, protège-moi. Je suivrai ta loi, je serai ton esclave et ta chose, j'embrasserai tes pieds et tes genoux. Défends-moi contre les mouches, contre mon frère, contre moi-même, ne me laisse pas seule, je consacrerai ma vie entière à l'expiation. Je me repens, Jupiter, je me repens.

Elle sort en courant.

SCÈNE IV

ORESTE, LES ÉRINNYES

Les Érinnyes font un mouvement pour suivre Électre. La première Érinnye les arrête.

PREMIÈRE ÉRINNYE. — Laissez-la, mes sœurs, elle nous échappe. Mais celui-ci nous reste, et

pour longtemps, je crois, car sa petite âme est
coriace. Il souffrira pour deux.

> *Les Érinnyes se mettent à bourdonner*
> *et se rapprochent d'Oreste.*

ORESTE. — Je suis tout seul.

PREMIÈRE ÉRINNYE. — Mais non, ô le plus
mignon des assassins, je te reste : tu verras quels
jeux j'inventerai pour te distraire.

ORESTE. — Jusqu'à la mort je serai seul.
Après...

PREMIÈRE ÉRINNYE. — Courage, mes sœurs, il
faiblit. Regardez, ses yeux s'agrandissent : bientôt ses nerfs vont résonner comme les cordes
d'une harpe sous les arpèges exquis de la terreur.

DEUXIÈME ÉRINNYE. — Bientôt la faim le chas-
sera de son asile : nous connaîtrons le goût de
son sang avant ce soir.

ORESTE. — Pauvre Électre !

> *Entre le Pédagogue.*

SCÈNE V

ORESTE, LES ÉRINNYES, LE PÉDAGOGUE

LE PÉDAGOGUE. — Çà, mon maître, où êtes-
vous ? On n'y voit goutte. Je vous apporte
quelque nourriture : les gens d'Argos assiègent
le temple et vous ne pouvez songer à en sortir :
cette nuit, nous essaierons de fuir. En attendant,
mangez. (*Les Érinnyes lui barrent la route.*) Ha !
qui sont celles-là ? Encore des superstitions. Que

je regrette le doux pays d'Attique, où c'était ma
raison qui avait raison.

ORESTE. — N'essaie pas de m'approcher, elles
te déchireraient tout vif.

LE PÉDAGOGUE. — Doucement, mes jolies. Tenez,
prenez ces viandes et ces fruits, si mes offrandes
peuvent vous calmer.

ORESTE. — Les hommes d'Argos, dis-tu, sont
massés devant le temple ?

LE PÉDAGOGUE. — Oui-da ! Et je ne saurais
vous dire qui sont les plus vilains et les plus
acharnés à vous nuire, de ces belles fillettes que
voilà ou de vos chers sujets.

ORESTE. — C'est bon. (*Un temps.*) Ouvre cette
porte.

LE PÉDAGOGUE. — Êtes-vous fou ? Ils sont là
derrière, avec des armes.

ORESTE. — Fais ce que je te dis.

LE PÉDAGOGUE. — Pour cette fois vous m'auto-
riserez bien à vous désobéir. Ils vous lapideront,
vous dis-je.

ORESTE. — Je suis ton maître, vieillard, et je
te commande d'ouvrir cette porte.

> *Le Pédagogue entr'ouvre la porte.*

LE PÉDAGOGUE. — Oh ! là, là ! Oh ! là, là !

ORESTE. — A deux battants !

> *Le Pédagogue entrouvre la porte.*
> *cache derrière l'un des battants. La foule*
> *repousse violemment les deux battants*
> *et s'arrête interdite sur le seuil. Vive*
> *lumière.*

SCÈNE VI

LES MÊMES, LA FOULE

CRIS DANS LA FOULE.
A mort ! A mort ! Lapidez-le ! Déchirez-le ! A
mort !

ORESTE, *sans les entendre.* — Le soleil !

LA FOULE. — Sacrilège ! Assassin ! Boucher !
On t'écartèlera. On versera du plomb fondu dans
tes blessures.

UNE FEMME. — Je t'arracherai les yeux.

UN HOMME. — Je te mangerai le foie.

ORESTE *s'est dressé.* — Vous voilà donc, mes
sujets très fidèles ! Je suis Oreste, votre roi, le
fils d'Agamemnon, et ce jour est le jour de mon
couronnement.

> *La foule gronde, décontenancée.*

Vous ne criez plus ? (*La foule se tait.*) Je sais :
je vous fais peur. Il y a quinze ans, jour pour
jour, un autre meurtrier s'est dressé devant vous,
il avait des gants rouges jusqu'au coude, des
gants de sang, et vous n'avez pas eu peur de lui
car vous avez lu dans ses yeux qu'il était des
vôtres et qu'il n'avait pas le courage de ses actes.
Un crime que son auteur ne peut supporter, ce
n'est plus le crime de personne, n'est-ce pas ?
C'est presque un accident. Vous avez accueilli le
criminel comme votre roi, et le vieux crime s'est
mis à rôder entre les murs de la ville, en gémis-

sant doucement, comme un chien qui a perdu son
maître. Vous me regardez, gens d'Argos, vous
avez compris que mon crime est bien à moi ; je
le revendique à la face du soleil, il est ma raison
de vivre et mon orgueil, vous ne pouvez ni me
châtier ni me plaindre, et c'est pourquoi je vous
fais peur. Et pourtant, ô mes hommes, je vous
aime, et c'est pour vous que j'ai tué. Pour vous.
J'étais venu réclamer mon royaume et vous
m'avez repoussé parce que je n'étais pas des
vôtres. A présent, je suis des vôtres, ô mes sujets,
nous sommes liés par le sang, et je mérite d'être
votre roi. Vos fautes et vos remords, vos angoisses
nocturnes, le crime d'Égisthe, tout est à moi, je
prends tout sur moi. Ne craignez plus vos morts,
ce sont *mes* morts. Et voyez : vos mouches fidèles
vous ont quittés pour moi. Mais n'ayez crainte,
gens d'Argos : je ne m'assiérai pas, tout sanglant,
sur le trône de ma victime : un Dieu me l'a offert
et j'ai dit non. Je veux être un roi sans terre et
sans sujets. Adieu, mes hommes, tentez de vivre :
tout est neuf ici, tout est à commencer. Pour moi
aussi la vie commence. Une étrange vie. Écoutez
encore ceci : un été, Scyros fut infestée par les
rats. C'était une horrible lèpre, ils rongeaient
tout ; les habitants de la ville crurent en mourir.
Mais, un jour, vint un joueur de flûte. Il se dressa
au cœur de la ville — comme ceci. (*Il se met
debout.*) Il se mit à jouer de la flûte et tous les
rats vinrent se presser autour de lui. Puis il se
mit en marche à longues enjambées, comme ceci,
(*il descend du piédestal*) en criant aux gens de
Scyros : « Écartez-vous ! » (*La foule s'écarte.*)
Et tous les rats dressèrent la tête en hésitant —

comme font les mouches. Regardez ! Regardez les
mouches ! Et puis tout d'un coup ils se précipi-
tèrent sur ses traces. Et le joueur de flûte avec
ses rats disparut pour toujours. Comme ceci.

*Il sort ; les Érinnyes se jettent en hur-
lant derrière lui.*

Rideau.

HUIS CLOS

Pièce en un acte

à cette Dame.

HUIS CLOS

a été présenté pour la première fois au Théâtre du Vieux-Colombier en mai 1944.

★

DISTRIBUTION

INÈS .... Mme Tania Balachova
ESTELLE .... Mme Gaby Sylvia
GARCIN .... M. Vitold
LE GARÇON............ M. R.-J. Chauffard

★

Décor de M. Douy

SCÈNE PREMIÈRE

GARCIN, LE GARÇON D'ÉTAGE

Un salon style Second Empire. Un bronze sur la cheminée.

GARCIN, *il entre et regarde autour de lui.* — Alors voilà.

LE GARÇON. — Voilà.

GARCIN. — C'est comme ça...

LE GARÇON. — C'est comme ça.

GARCIN. — Je... Je pense qu'à la longue on doit s'habituer aux meubles.

LE GARÇON. — Ça dépend des personnes.

GARCIN. — Est-ce que toutes les chambres sont pareilles ?

LE GARÇON. — Pensez-vous. Il nous vient des Chinois, des Hindous. Qu'est-ce que vous voulez qu'ils fassent d'un fauteuil Second Empire ?

GARCIN. — Et moi, qu'est-ce que vous voulez que j'en fasse ? Savez-vous qui j'étais ? Bah ! ça n'a aucune importance. Après tout, je vivais toujours dans des meubles que je n'aimais pas et des situations fausses ; j'adorais ça. Une situa-

tion fausse dans une salle à manger Louis-Phi-
lippe, ça ne vous dit rien ?

LE GARÇON. — Vous verrez : dans un salon
Second Empire, ça n'est pas mal non plus.

GARCIN. — Ah ! bon. Bon, bon, bon. (*Il regarde autour de lui.*) Tout de même, je ne me
serais pas attendu... Vous n'êtes pas sans savoir
ce qu'on raconte là-bas ?

LE GARÇON. — Sur quoi ?

GARCIN. — Eh bien... (*avec un geste vague et
large*) sur tout ça.

LE GARÇON. — Comment pouvez-vous croire ces
âneries ? Des personnes qui n'ont jamais mis les
pieds ici. Car enfin, si elles y étaient venues...

GARCIN. — Oui.

> *Ils rient tous deux.*

GARCIN, *redevenant sérieux tout à coup.* — Où
sont les pals ?

LE GARÇON. — Quoi ?

GARCIN. — Les pals, les grils, les entonnoirs
de cuir.

LE GARÇON. — Vous voulez rire ?

GARCIN, *le regardant.* — Ah ? Ah bon. Non, je
ne voulais pas rire. (*Un silence. Il se promène.*)
Pas de glaces, pas de fenêtres, naturellement.
Rien de fragile. (*Avec une violence subite :*) Et
pourquoi m'a-t-on ôté ma brosse à dents ?

LE GARÇON. — Et voilà. Voilà la dignité humaine qui vous revient. C'est formidable.

GARCIN, *frappant sur le bras du fauteuil avec
colère.* — Je vous prie de m'épargner vos familia-
rités. Je n'ignore rien de ma position, mais je ne
supporterai pas que vous...

Le Garçon. — Là ! là ! Excusez-moi. Qu'est-ce que vous voulez, tous les clients posent la même question. Ils s'amènent : « Où sont les pals ? » A ce moment-là, je vous jure qu'ils ne songent pas à faire leur toilette. Et puis, dès qu'on les a rassurés, voilà la brosse à dents. Mais, pour l'amour de Dieu, est-ce que vous ne pouvez pas réfléchir ? Car enfin, je vous le demande, *pourquoi* vous brosseriez-vous les dents ?

Garcin, *calmé.* — Oui, en effet, pourquoi ? (*Il regarde autour de lui.*) Et pourquoi se regarderait-on dans les glaces ? Tandis que le bronze, à la bonne heure... J'imagine qu'il y a de certains moments où je regarderai de tous mes yeux. De tous mes yeux, hein ? Allons, allons, il n'y a rien à cacher ; je vous dis que je n'ignore rien de ma position. Voulez-vous que je vous raconte comment cela se passe ? Le type suffoque, il s'enfonce, il se noie, seul son regard est hors de l'eau et qu'est-ce qu'il voit ? Un bronze de Barbedienne. Quel cauchemar ! Allons, on vous a sans doute défendu de me répondre, je n'insiste pas. Mais rappelez-vous qu'on ne me prend pas au dépourvu, ne venez pas vous vanter de m'avoir surpris ; je regarde la situation en face. (*Il reprend sa marche.*) Donc, pas de brosse à dents. Pas de lit non plus. Car on ne dort jamais, bien entendu ?

Le Garçon. — Dame !

Garcin. — Je l'aurais parié. *Pourquoi* dormirait-on ? Le sommeil vous prend derrière les oreilles. Vous sentez vos yeux qui se ferment, mais pourquoi dormir ? Vous vous allongez sur le canapé et pffft... le sommeil s'envole. Il faut se frotter les yeux, se relever et tout recommence.

LE GARÇON. — Que vous êtes romanesque !

GARCIN. — Taisez-vous. Je ne crierai pas, je ne gémirai pas, mais je veux regarder la situation en face. Je ne veux pas qu'elle saute sur moi par derrière, sans que j'aie pu la reconnaître. Romanesque ? Alors c'est qu'on n'a même pas besoin de sommeil. Pourquoi dormir si on n'a pas sommeil ? Parfait. Attendez. Attendez : pourquoi est-ce pénible ? Pourquoi est-ce forcément pénible ? J'y suis : c'est la vie sans coupure.

LE GARÇON. — Quelle coupure ?

GARCIN, *l'imitant*. — Quelle coupure ? (*Soupçonneux*.) Regardez-moi. J'en étais sûr ! Voilà ce qui explique l'indiscrétion grossière et insoutenable de votre regard. Ma parole, elles sont atrophiées.

LE GARÇON. — Mais de quoi parlez-vous ?

GARCIN. — De vos paupières. Nous, nous battions des paupières. Un clin d'œil, ça s'appelait. Un petit éclair noir, un rideau qui tombe et qui se relève : la coupure est faite. L'œil s'humecte, le monde s'anéantit. Vous ne pouvez pas savoir combien c'était rafraîchissant. Quatre mille repos dans une heure. Quatre mille petites évasions. Et quand je dis quatre mille... Alors ? Je vais vivre sans paupières ? Ne faites pas l'imbécile. Sans paupières, sans sommeil, c'est tout un. Je ne dormirai plus... Mais comment pourrai-je me supporter ? Essayez de comprendre, faites un effort : je suis d'un caractère taquin, voyez-vous, et je... j'ai l'habitude de me taquiner. Mais je... je ne peux pas me taquiner sans répit : là-bas il y avait les nuits. Je dormais. J'avais le sommeil douillet.

Par compensation. Je me faisais faire des rêves
simples. Il y avait une prairie... Une prairie, c'est
tout. Je rêvais que je me promenais dedans.
Fait-il jour ?

LE GARÇON. — Vous voyez bien, les lampes
sont allumées.

GARCIN. — Parbleu. C'est ça *votre* jour. Et
dehors ?

LE GARÇON, *ahuri.* — Dehors ?

GARCIN. — Dehors ! de l'autre côté de ces
murs ?

LE GARÇON. — Il y a un couloir.

GARCIN. — Et au bout de ce couloir ?

LE GARÇON. — Il y a d'autres chambres et
d'autres couloirs et des escaliers.

GARCIN. — Et puis ?

LE GARÇON. — C'est tout.

GARCIN. — Vous avez bien un jour de sortie.
Où allez-vous ?

LE GARÇON. — Chez mon oncle, qui est chef
des garçons, au troisième étage.

GARCIN. — J'aurais dû m'en douter. Où est
l'interrupteur ?

LE GARÇON. — Il n'y en a pas.

GARCIN. — Alors ? On ne peut pas éteindre ?

LE GARÇON. — La direction peut couper le courant. Mais je ne me rappelle pas qu'elle l'ait fait
à cet étage-ci. Nous avons l'électricité à discré-
tion.

GARCIN. — Très bien. Alors il faut vivre les
yeux ouverts...

LE GARÇON, *ironique.* — Vivre...

GARCIN. — Vous n'allez pas me chicaner pour

une question de vocabulaire. Les yeux ouverts.
Pour toujours. Il fera grand jour dans mes yeux.
Et dans ma tête. (*Un temps.*) Et si je balançais
le bronze sur la lampe électrique, est-ce qu'elle
s'éteindrait ?

Le Garçon. — Il est trop lourd.

Garcin *prend le bronze dans ses mains et
essaye de le soulever.* — Vous avez raison. Il est
trop lourd.

Un silence.

Le Garçon. — Eh bien, si vous n'avez plus
besoin de moi, je vais vous laisser.

Garcin, *sursautant.* — Vous vous en allez ? Au
revoir. (*Le garçon gagne la porte.*) Attendez. (*Le
garçon se retourne.*) C'est une sonnette, là ? (*Le
garçon fait un signe affirmatif.*) Je peux vous
sonner quand je veux et vous êtes obligé de
venir ?

Le Garçon. — En principe, oui. Mais elle est
capricieuse. Il y a quelque chose de coincé dans
le mécanisme.

*Garcin va à la sonnette et appuie sur
le bouton. Sonnerie.*

Garcin. — Elle marche !

Le Garçon, *étonné.* — Elle marche. (*Il sonne
à son tour.*) Mais ne vous emballez pas, ça ne va
pas durer. Allons, à votre service.

Garcin *fait un geste pour le retenir.* — Je...

Le Garçon. — Hé ?

Garcin. — Non, rien. (*Il va à la cheminée et
prend le coupe-papier.*) Qu'est-ce que c'est que
ça ?

Le Garçon. — Vous voyez bien : un coupe-
papier.

GARCIN. — Il y a des livres, ici ?

LE GARÇON. — Non.

GARCIN. — Alors à quoi sert-il ? (*Le garçon hausse les épaules.*) C'est bon. Allez-vous-en.

Le garçon sort.

SCÈNE II

GARCIN, seul

Garcin seul. Il va au bronze et le flatte de la main. Il s'assied. Il se relève. Il va à la sonnette et appuie sur le bouton. La sonnette ne sonne pas. Il essaie deux ou trois fois. Mais en vain. Il va alors à la porte et tente de l'ouvrir. Elle résiste. Il appelle.

GARCIN. — Garçon ! Garçon !

Pas de réponse. Il fait pleuvoir une grêle de coups de poings sur la porte en appelant le garçon. Puis il se calme subitement et va se rasseoir. A ce moment la porte s'ouvre et Inès entre, suivie du garçon.

SCÈNE III

GARCIN, INÈS, LE GARÇON

LE GARÇON, *à Garcin.* — Vous m'avez appelé ?
*Garcin va pour répondre, mais il jette
un coup d'œil à Inès.*
GARCIN. — Non.
LE GARÇON, *se tournant vers Inès.* — Vous êtes
chez vous, madame. (*Silence d'Inès.*) Si vous avez
des questions à me poser... (*Inès se tait.*)
LE GARÇON, *déçu.* — D'ordinaire les clients
aiment à se renseigner... Je n'insiste pas. D'ail-
leurs, pour la brosse à dents, la sonnette et le
bronze de Barbedienne, monsieur est au courant
et il vous répondra aussi bien que moi.
*Il sort. Un silence. Garcin ne regarde
pas Inès. Inès regarde autour d'elle, puis
elle se dirige brusquement vers Garcin.*
INÈS. — Où est Florence ? (*Silence de Garcin.*)
Je vous demande où est Florence ?
GARCIN. — Je n'en sais rien.
INÈS. — C'est tout ce que vous avez trouvé ?
La torture par l'absence ? Eh bien, c'est manqué.
Florence était une petite sotte et je ne la regrette
pas.
GARCIN. — Je vous demande pardon : pour qui
me prenez-vous ?
INÈS. — Vous ? Vous êtes le bourreau.
GARCIN, *sursaute et puis se met à rire.* — C'est

une méprise tout à fait amusante. Le bourreau,
vraiment ! Vous êtes entrée, vous m'avez regardé
et vous avez pensé : c'est le bourreau. Quelle
extravagance ! Le garçon est ridicule, il aurait dû
nous présenter l'un à l'autre. Le bourreau ! Je
suis Joseph GARCIN, publiciste et homme de
lettres. La vérité, c'est que nous sommes logés à
la même enseigne. Madame...

INÈS, *sèchement.* — Inès SERRANO. Mademoiselle.

GARCIN. — Très bien. Parfait. Eh bien, la glace
est rompue. Ainsi vous me trouvez la mine d'un
bourreau ? Et à quoi les reconnaît-on, les bourreaux, s'il vous plaît ?

INÈS. — Ils ont l'air d'avoir peur.

GARCIN. — Peur ? C'est trop drôle. Et de qui ?
De leurs victimes ?

INÈS. — Allez ! Je sais ce que je dis. Je me
suis regardée dans la glace.

GARCIN. — Dans la glace ? (*Il regarde autour
de lui.*) C'est assommant : ils ont ôté tout ce qui
pouvait ressembler à une glace. (*Un temps.*) En
tout cas, je puis vous affirmer que je n'ai pas
peur. Je ne prends pas la situation à la légère et
je suis très conscient de sa gravité. Mais je n'ai
pas peur.

INÈS, *haussant les épaules.* — Ça vous regarde.
(*Un temps.*) Est-ce qu'il vous arrive de temps en
temps d'aller faire un tour dehors ?

GARCIN. — La porte est verrouillée.

INÈS. — Tant pis.

GARCIN. — Je comprends très bien que ma présence vous importune. Et personnellement, je préférerais rester seul : il faut que je mette ma vie

en ordre et j'ai besoin de me recueillir. Mais je
suis sûr que nous pourrons nous accommoder l'un
de l'autre : je ne parle pas, je ne remue guère et
je fais peu de bruit. Seulement, si je peux me
permettre un conseil, il faudra conserver entre
nous une extrême politesse. Ce sera notre meilleure défense.

Inès. — Je ne suis pas polie.

Garcin. — Je le serai donc pour deux.

> *Un silence. Garcin est assis sur le
> canapé. Inès se promène de long en
> large.*

Inès, *le regardant.* — Votre bouche.

Garcin, *tiré de son rêve.* — Plaît-il ?

Inès. — Vous ne pourriez pas arrêter votre
bouche ? Elle tourne comme une toupie sous votre
nez.

Garcin. — Je vous demande pardon : je ne
m'en rendais pas compte.

Inès. — C'est ce que je vous reproche. (*Tic de
Garcin.*) Encore ! Vous prétendez être poli et
vous laissez votre visage à l'abandon. Vous n'êtes
pas seul et vous n'avez pas le droit de m'infliger
le spectacle de votre peur.

> *Garcin se lève et va vers elle.*

Garcin. — Vous n'avez pas peur, vous ?

Inès. — Pourquoi faire ? La peur, c'était bon
avant, quand nous gardions de l'espoir.

Garcin, *doucement.* — Il n'y a plus d'espoir,
mais nous sommes toujours *avant*. Nous n'avons
pas commencé de souffrir, mademoiselle.

Inès. — Je sais. (*Un temps.*) Alors ? Qu'est-ce
qui va venir ?

GARCIN. — Je ne sais pas. J'attends.

Un silence. Garcin va se rasseoir. Inès reprend sa marche. Garcin a un tic de la bouche, puis, après un regard à Inès, il enfouit son visage dans ses mains. Entrent Estelle et le garçon.

SCÈNE IV

INÈS, GARCIN, ESTELLE, LE GARÇON

Estelle regarde Garcin, qui n'a pas levé la tête.

ESTELLE, *à Garcin.* — Non ! Non, non, ne relève pas la tête. Je sais ce que tu caches avec tes mains, je sais que tu n'as plus de visage. (*Garcin retire ses mains.*) Ha ! (*Un temps. Avec surprise :*) Je ne vous connais pas.

GARCIN. — Je ne suis pas le bourreau, madame.

ESTELLE. — Je ne vous prenais pas pour le bourreau. Je... J'ai cru que quelqu'un voulait me faire une farce. (*Au garçon.*) Qui attendez-vous encore ?

LE GARÇON. — Il ne viendra plus personne.

ESTELLE, *soulagée.* — Ah ! Alors nous allons rester tout seuls, monsieur, madame et moi ?

Elle se met à rire.

GARCIN, *sèchement.* — Il n'y a pas de quoi rire.

ESTELLE, *riant toujours.* — Mais ces canapés

sont si laids. Et voyez comme on les a disposés, il me semble que c'est le premier de l'an et que je suis en visite chez ma tante Marie. Chacun a le sien, je suppose. Celui-ci est à moi ? (*Au garçon :*) Mais je ne pourrai jamais m'asseoir dessus, c'est une catastrophe : je suis en bleu clair et il est vert épinard.

INÈS. — Voulez-vous le mien ?

ESTELLE. — Le canapé bordeaux ? Vous êtes trop gentille, mais ça ne vaudrait guère mieux. Non, qu'est-ce que vous voulez ? Chacun son lot : J'ai le vert, je le garde. (*Un temps.*) Le seul qui conviendrait à la rigueur, c'est celui de monsieur.

> *Un silence.*

INÈS. — Vous entendez, Garcin ?

GARCIN, *sursautant.* — Le... canapé. Oh ! pardon. (*Il se lève.*) Il est à vous, madame.

ESTELLE. — Merci. (*Elle ôte son manteau et le jette sur le canapé. Un temps.*) Faisons connaissance puisque nous devons habiter ensemble. Je suis Estelle RIGAULT.

> *Garcin s'incline et va se nommer, mais Inès passe devant lui.*

INÈS. — Inès SERRANO. Je suis très heureuse.

> *Garcin s'incline à nouveau.*

GARCIN. — Joseph GARCIN.

LE GARÇON. — Avez-vous encore besoin de moi ?

ESTELLE. — Non, allez. Je vous sonnerai.

> *Le garçon s'incline et sort.*

SCÈNE V

INÈS, GARCIN, ESTELLE

INÈS. — Vous êtes très belle. Je voudrais avoir des fleurs pour vous souhaiter la bienvenue.

ESTELLE. — Des fleurs ? Oui. J'aimais beaucoup les fleurs. Elles se faneraient ici : il fait trop chaud. Bah ! L'essentiel, n'est-ce pas, c'est de conserver la bonne humeur. Vous êtes...

INÈS. — Oui, la semaine dernière. Et vous ?

ESTELLE. — Moi ? Hier. La cérémonie n'est pas achevée. (*Elle parle avec beaucoup de naturel, mais comme si elle voyait ce qu'elle décrit.*) Le vent dérange le voile de ma sœur. Elle fait ce qu'elle peut pour pleurer. Allons ! allons ! encore un effort. Voilà ! Deux larmes, deux petites larmes qui brillent sous le crêpe. Olga Jardet est très laide ce matin. Elle soutient ma sœur par le bras. Elle ne pleure pas à cause du rimmel et je dois dire qu'à sa place... C'était ma meilleure amie.

INÈS. — Vous avez beaucoup souffert ?

ESTELLE. — Non. J'étais plutôt abrutie.

INÈS. — Qu'est-ce que... ?

ESTELLE. — Une pneumonie. (*Même jeu que précédemment.*) Eh bien, ça y est, ils s'en vont. Bonjour ! Bonjour ! Que de poignées de main. Mon mari est malade de chagrin, il est resté à la maison. (*A Inès.*) Et vous ?

Inès. — Le gaz.

Estelle. — Et vous, monsieur ?

Garcin. — Douze balles dans la peau. (*Geste d'Estelle.*) Excusez-moi, je ne suis pas un mort de bonne compagnie.

Estelle. — Oh ! cher monsieur, si seulement vous vouliez bien ne pas user de mots si crus. C'est... c'est choquant. Et finalement, qu'est-ce que ça veut dire ? Peut-être n'avons-nous jamais été si vivants. S'il faut absolument nommer cet... état de choses, je propose qu'on nous appelle des absents, ce sera plus correct. Vous êtes absent depuis longtemps ?

Garcin. — Depuis un mois, environ.

Estelle. — D'où êtes-vous ?

Garcin. — De Rio.

Estelle. — Moi, de Paris. Vous avez encore quelqu'un, là-bas ?

Garcin. — Ma femme. (*Même jeu qu'Estelle.*) Elle est venue à la caserne comme tous les jours ; on ne l'a pas laissée entrer. Elle regarde entre les barreaux de la grille. Elle ne sait pas encore que je suis absent, mais elle s'en doute. Elle s'en va, à présent. Elle est toute noire. Tant mieux, elle n'aura pas besoin de se changer. Elle ne pleure pas ; elle ne pleurait jamais. Il fait un beau soleil et elle est toute noire dans la rue déserte, avec ses grands yeux de victime. Ah ! elle m'agace.

> *Un silence. Garcin va s'asseoir sur le canapé du milieu et se met la tête dans les mains.*

Inès. — Estelle !

Estelle. — Monsieur, monsieur Garcin !

Garcin. — Plaît-il ?

Estelle. — Vous êtes assis sur mon canapé.

Garcin. — Pardon.

Il se lève.

Estelle. — Vous aviez l'air si absorbé.

Garcin. — Je mets ma vie en ordre. (*Inès se met à rire.*) Ceux qui rient feraient aussi bien de m'imiter.

Inès. — Elle est en ordre, ma vie. Tout à fait en ordre. Elle s'est mise en ordre d'elle-même, là-bas, je n'ai pas besoin de m'en préoccuper.

Garcin. — Vraiment ? Et vous croyez que c'est si simple ! (*Il se passe la main sur le front.*) Quelle chaleur ! Vous permettez ?

Il va pour ôter son veston.

Estelle. — Ah non ! (*Plus doucement.*) Non. J'ai horreur des hommes en bras de chemise.

Garcin, *remettant sa veste.* — C'est bon. (*Un temps.*) Moi, je passais mes nuits dans les salles de rédaction. Il y faisait toujours une chaleur de cloporte. (*Un temps. Même jeu que précédemment.*) Il y *fait* une chaleur de cloporte. C'est la nuit.

Estelle. — Tiens, oui, c'est déjà la nuit. Olga se déshabille. Comme le temps passe vite, sur terre.

Inès. — C'est la nuit. Ils ont mis les scellés sur la porte de ma chambre. Et la chambre est vide dans le noir.

Garcin. — Ils ont posé leurs vestons sur le dos de leurs chaises et roulé les manches de leurs chemises au-dessus de leurs coudes. Ça sent l'homme et le cigare. (*Un silence.*) J'aimais vivre au milieu d'hommes en bras de chemise.

Estelle, *sèchement.* — Eh bien, nous n'avons

pas les mêmes goûts. Voilà ce que ça prouve.
(*Vers Inès.*) Vous aimez ça, vous, les hommes en
chemise ?

Inès. — En chemise ou non, je n'aime pas
beaucoup les hommes.

Estelle *les regarde tous deux avec stupeur.* —
Mais pourquoi, *pourquoi* nous a-t-on réunis ?

Inès, *avec un éclat étouffé.* — Qu'est-ce que
vous dites ?

Estelle. — Je vous regarde tous deux et je
pense que nous allons demeurer ensemble... Je
m'attendais à retrouver des amis, de la famille.

Inès. — Un excellent ami avec un trou au
milieu de la figure.

Estelle. — Celui-là aussi. Il dansait le tango
comme un professionnel. Mais nous, *nous*, pourquoi nous a-t-on réunis ?

Garcin. — Eh bien, c'est le hasard. Ils casent
les gens où ils peuvent, dans l'ordre de leur arrivée. (*A Inès.*) Pourquoi riez-vous ?

Inès. — Parce que vous m'amusez avec votre
hasard. Avez-vous tellement besoin de vous rassurer ? Ils ne laissent rien au hasard.

Estelle, *timidement.* — Mais nous nous
sommes peut-être rencontrés autrefois ?

Inès. — Jamais. Je ne vous aurais pas oubliée.

Estelle. — Ou alors, c'est que nous avons des
relations communes ? Vous ne connaissez pas les
Dubois-Seymour ?

Inès. — Ça m'étonnerait.

Estelle. — Ils reçoivent le monde entier.

Inès. — Qu'est-ce qu'ils font ?

Estelle, *surprise.* — Ils ne font rien. Ils ont
un château en Corrèze et...

Inès. — Moi, j'étais employée des Postes.

Estelle, *avec un petit recul.* — Ah ! Alors en effet ?... (*Un temps.*) Et vous, monsieur Garcin ?

Garcin. — Je n'ai jamais quitté Rio.

Estelle. — En ce cas vous avez parfaitement raison : c'est le hasard qui nous a réunis.

Inès. — Le hasard. Alors ces meubles sont là par hasard. C'est par hasard si le canapé de droite est vert épinard et si le canapé de gauche est bordeaux. Un hasard, n'est-ce pas ? Eh bien, essayez donc de les changer de place et vous m'en direz des nouvelles. Et le bronze, c'est un hasard aussi ? Et cette chaleur ? Et cette chaleur ? (*Un silence.*) Je vous dis qu'ils ont tout réglé. Jusque dans les moindres détails, avec amour. Cette chambre nous attendait.

Estelle. — Mais comment voulez-vous ? Tout est si laid, si dur, si anguleux. Je détestais les angles.

Inès, *haussant les épaules.* — Croyez-vous que je vivais dans un salon Second Empire ?

Un temps.

Estelle. — Alors tout est prévu ?

Inès. — Tout. Et nous sommes assortis.

Estelle. — Ce n'est pas par hasard que *vous*, vous êtes en face de *moi* ? (*Un temps.*) Qu'est-ce qu'ils attendent ?

Inès. — Je ne sais pas. Mais ils attendent.

Estelle. — Je ne peux pas supporter qu'on attende quelque chose de moi. Ça me donne tout de suite envie de faire le contraire.

Inès. — Eh bien, faites-le ! Faites-le donc ! Vous ne savez même pas ce qu'ils veulent.

Estelle, *frappant du pied.* — C'est insuppor-

table. Et quelque chose doit m'arriver par vous
deux ? (*Elle les regarde.*) Par vous deux. Il y
avait des visages qui me parlaient tout de suite.
Et les vôtres ne me disent rien.

GARCIN, *brusquement à Inès.* — Allons, pourquoi sommes-nous ensemble ? Vous en avez trop
dit : allez jusqu'au bout.

INÈS, *étonnée.* — Mais je n'en sais absolument
rien.

GARCIN. — Il *faut* le savoir.

> *Il réfléchit un moment.*

INÈS. — Si seulement chacun de nous avait le
courage de dire...

GARCIN. — Quoi ?

INÈS. — Estelle !

ESTELLE. — Plaît-il ?

INÈS. — Qu'avez-vous fait ? Pourquoi vous
ont-ils envoyée ici ?

ESTELLE, *vivement.* — Mais je ne sais pas, je
ne sais pas du tout ! Je me demande même si ce
n'est pas une erreur. (*A Inès.*) Ne souriez pas.
Pensez à la quantité de gens qui... qui s'absentent
chaque jour. Ils viennent ici par milliers et n'ont
affaire qu'à des subalternes, qu'à des employés
sans instruction. Comment voulez-vous qu'il n'y
ait pas d'erreur. Mais ne souriez pas. (*A Garcin.*)
Et vous, dites quelque chose. S'ils se sont trompés dans mon cas, ils ont pu se tromper dans le
vôtre. (*A Inès.*) Et dans le vôtre aussi. Est-ce
qu'il ne vaut pas mieux croire que nous sommes
là par erreur ?

INÈS. — C'est tout ce que vous avez à nous
dire ?

ESTELLE. — Que voulez-vous savoir de plus ?

Je n'ai rien à cacher. J'étais orpheline et pauvre, j'élevais mon frère cadet. Un vieil ami de mon père m'a demandé ma main. Il était riche et bon, j'ai accepté. Qu'auriez-vous fait à ma place ? Mon frère était malade et sa santé réclamait les plus grands soins. J'ai vécu six ans avec mon mari sans un nuage. Il y a deux ans, j'ai rencontré celui que je devais aimer. Nous nous sommes reconnus tout de suite, il voulait que je parte avec lui et j'ai refusé. Après cela, j'ai eu ma pneumonie. C'est tout. Peut-être qu'on pourrait, au nom de certains principes, me reprocher d'avoir sacrifié ma jeunesse à un vieillard. (*A Garcin.*) Croyez-vous que ce soit une faute ?

GARCIN. — Certainement non. (*Un temps.*) Et vous, trouvez-vous que ce soit une faute de vivre selon ses principes ?

ESTELLE. — Qui est-ce qui pourrait vous le reprocher ?

GARCIN. — Je dirigeais un journal pacifiste. La guerre éclate. Que faire ? Ils avaient tous les yeux fixés sur moi. « Osera-t-il ? » Eh bien, j'ai osé. Je me suis croisé les bras et ils m'ont fusillé. Où est la faute ? Où est la faute ?

ESTELLE *lui pose la main sur le bras.* — Il n'y a pas de faute. Vous êtes...

INÈS *achève ironiquement.* — Un Héros. Et votre femme, Garcin ?

GARCIN. — Eh bien, quoi ? Je l'ai tirée du ruisseau.

ESTELLE, *à Inès.* — Vous voyez ! vous voyez !

INÈS. — Je vois. (*Un temps.*) Pour qui jouez-vous la comédie ? Nous sommes entre nous.

ESTELLE, *avec insolence.* — Entre nous ?

10

INÈS. — Entre assassins. Nous sommes en enfer, ma petite, il n'y a jamais d'erreur et on ne damne jamais les gens pour rien.

ESTELLE. — Taisez-vous.

INÈS. — En enfer ! Damnés ! Damnés !

ESTELLE. — Taisez-vous. Voulez-vous vous taire ? Je vous défends d'employer des mots grossiers.

INÈS. — Damnée, la petite sainte. Damné, le héros sans reproche. Nous avons eu notre heure de plaisir, n'est-ce pas ? Il y a des gens qui ont souffert pour nous jusqu'à la mort et cela nous amusait beaucoup. A présent, il faut payer.

GARCIN, *la main levée.* — Est-ce que vous vous tairez ?

INÈS, *le regarde sans peur, mais avec une immense surprise.* — Ha ! (*Un temps.*) Attendez ! J'ai compris, je sais pourquoi ils nous ont mis ensemble !

GARCIN. — Prenez garde à ce que vous allez dire.

INÈS. — Vous allez voir comme c'est bête. Bête comme chou ! Il n'y a pas de torture physique, n'est-ce pas ? Et cependant, nous sommes en enfer. Et personne ne doit venir. Personne. Nous resterons jusqu'au bout seuls ensemble. C'est bien ça ? En somme, il y a quelqu'un qui manque ici : c'est le bourreau.

GARCIN, *à mi-voix.* — Je le sais bien.

INÈS. — Eh bien, ils ont réalisé une économie de personnel. Voilà tout. Ce sont les clients qui font le service eux-mêmes, comme dans les restaurants coopératifs.

ESTELLE. — Qu'est-ce que vous voulez dire ?

INÈS. — Le bourreau, c'est chacun de nous pour les deux autres.

Un temps. Ils digèrent la nouvelle.

GARCIN, *d'une voix douce.* — Je ne serai pas votre bourreau. Je ne vous veux aucun mal et je n'ai rien à faire avec vous. Rien. C'est tout à fait simple. Alors voilà : chacun dans son coin ; c'est la parade. Vous ici, vous ici, moi là. Et du silence. Pas un mot : ce n'est pas difficile, n'est-ce pas ? Chacun de nous a assez à faire avec lui-même. Je crois que je pourrais rester dix mille ans sans parler.

ESTELLE. — Il faut que je me taise ?

GARCIN. — Oui. Et nous... nous serons sauvés. Se taire. Regarder en soi, ne jamais lever la tête. C'est d'accord ?

INÈS. — D'accord.

ESTELLE, *après hésitation.* — D'accord.

GARCIN. — Alors, adieu.

Il va à son canapé et se met la tête dans ses mains. Silence. Inès se met à chanter pour elle seule :

Dans la rue des Blancs-Manteaux
Ils ont élevé des tréteaux
Et mis du son dans un seau
Et c'était un échafaud
Dans la rue des Blancs-Manteaux.

Dans la rue des Blancs-Manteaux
Le bourreau s'est levé tôt
C'est qu'il avait du boulot
Faut qu'il coupe des Généraux

Des Évêques, des Amiraux
Dans la rue des Blancs-Manteaux.

Dans la rue des Blancs-Manteaux
Sont v'nues des dames comme il faut
Avec de beaux affutiaux
Mais la tête leur f'sait défaut
Elle avait roulé de son haut
La tête avec le chapeau
Dans le ruisseau des Blancs-Manteaux.

> *Pendant ce temps-là, Estelle se remet de la poudre et du rouge. Estelle se poudre et cherche une glace autour d'elle d'un air inquiet. Elle fouille dans son sac et puis elle se tourne vers Garcin.*

ESTELLE. — Monsieur, avez-vous un miroir ? (*Garcin ne répond pas.*) Un miroir, une glace de poche, n'importe quoi ? (*Garcin ne répond pas.*) Si vous me laissez toute seule, procurez-moi au moins une glace.

> *Garcin demeure la tête dans ses mains, sans répondre.*

INÈS, *avec empressement.* — Moi, j'ai une glace dans mon sac. (*Elle fouille dans son sac. Avec dépit :*) Je ne l'ai plus. Ils ont dû me l'ôter au greffe.

ESTELLE. — Comme c'est ennuyeux.

> *Un temps. Elle ferme les yeux et chancelle. Inès se précipite et la soutient.*

INÈS. — Qu'est-ce que vous avez ?

ESTELLE *rouvre les yeux et sourit.* — Je me sens drôle. (*Elle se tâte.*) Ça ne vous fait pas cet effet-là, à vous : quand je ne me vois pas, j'ai beau me tâter, je me demande si j'existe pour de vrai.

Inès. — Vous avez de la chance. Moi, je me sens toujours de l'intérieur.

Estelle. — Ah ! oui, de l'intérieur... Tout ce qui se passe dans les têtes est si vague, ça m'endort. (*Un temps.*) Il y a six grandes glaces dans ma chambre à coucher. Je les vois. Je les vois. Mais elles ne me voient pas. Elles reflètent la causeuse, le tapis, la fenêtre... comme c'est vide, une glace où je ne suis pas. Quand je parlais, je m'arrangeais pour qu'il y en ait une où je puisse me regarder. Je parlais, je me voyais parler. Je me voyais comme les gens me voyaient, ça me tenait éveillée. (*Avec désespoir.*) Mon rouge ! Je suis sûre que je l'ai mis de travers. Je ne peux pourtant pas rester sans glace toute l'éternité.

Inès. — Voulez-vous que je vous serve de miroir ? Venez, je vous invite chez moi. Asseyez-vous sur mon canapé.

Estelle *indique Garcin.* — Mais...

Inès. — Ne nous occupons pas de lui.

Estelle. — Nous allons nous faire du mal : c'est vous qui l'avez dit.

Inès. — Est-ce que j'ai l'air de vouloir vous nuire ?

Estelle. — On ne sait jamais...

Inès. — C'est toi qui me feras du mal. Mais qu'est-ce que ça peut faire ? Puisqu'il faut souffrir, autant que ce soit par toi. Assieds-toi. Approche-toi. Encore. Regarde dans mes yeux : est-ce que tu t'y vois ?

Estelle. — Je suis toute petite. Je me vois très mal.

INÈS. — Je te vois, moi. Tout entière. Pose-moi
des questions. Aucun miroir ne sera plus fidèle.

  Estelle, gênée, se tourne vers Garcin
  comme pour l'appeler à l'aide.

ESTELLE. — Monsieur ! Monsieur ! Nous ne
vous ennuyons pas par notre bavardage ?

      Garcin ne répond pas.

INÈS. — Laisse-le ; il ne compte plus ; nous
sommes seules. Interroge-moi.

ESTELLE. — Est-ce que j'ai bien mis mon rouge
à lèvres ?

INÈS. — Fais voir. Pas trop bien.

ESTELLE. — Je m'en doutais. Heureusement
que (*elle jette un coup d'œil à Garcin*) personne
ne m'a vue. Je recommence.

INÈS. — C'est mieux. Non. Suis le dessin des
lèvres ; je vais te guider. Là, là. C'est bien.

ESTELLE. — Aussi bien que tout à l'heure,
quand je suis entrée ?

INÈS. — C'est mieux ; plus lourd, plus cruel.
Ta bouche d'enfer.

ESTELLE. — Hum ! Et c'est bien ? Que c'est
agaçant, je ne peux plus juger par moi-même.
Vous me jurez que c'est bien ?

INÈS. — Tu ne veux pas qu'on se tutoie ?

ESTELLE. — Tu me jures que c'est bien ?

INÈS. — Tu es belle.

ESTELLE. — Mais avez-vous du goût ? Avez-
vous *mon* goût ? Que c'est agaçant, que c'est
agaçant.

INÈS. — J'ai ton goût, puisque tu me plais.
Regarde-moi bien. Souris-moi. Je ne suis pas

laide non plus. Est-ce que je ne vaux pas mieux
qu'un miroir ?

ESTELLE. — Je ne sais pas. Vous m'intimidez.
Mon image dans les glaces était apprivoisée. Je
la connaissais si bien... Je vais sourire : mon
sourire ira au fond de vos prunelles et Dieu sait
ce qu'il va devenir.

INÈS. — Et qui t'empêche de m'apprivoiser ?
(*Elles se regardent. Estelle sourit, un peu fascinée.*) Tu ne veux décidément pas me tutoyer ?

ESTELLE. — J'ai de la peine à tutoyer les
femmes.

INÈS. — Et particulièrement les employées des
postes, je suppose ? Qu'est-ce que tu as là, au
bas de la joue ? Une plaque rouge ?

ESTELLE, *sursautant*. — Une plaque rouge,
quelle horreur ! Où ça ?

INÈS. — Là! là! Je suis le miroir aux alouettes ;
ma petite alouette, je te tiens ! Il n'y a pas de
rougeur. Pas la moindre. Hein ? Si le miroir se
mettait à mentir ? Ou si je fermais les yeux, si
je refusais de te regarder, que ferais-tu de toute
cette beauté ? N'aie pas peur : il faut que je te
regarde, mes yeux resteront grands ouverts. Et
je serai gentille, tout à fait gentille. Mais tu me
diras : tu.

Un temps.

ESTELLE. — Je te plais ?

INÈS. — Beaucoup !

Un temps.

ESTELLE, *désignant Garcin d'un coup de tête.*
— Je voudrais qu'il me regarde aussi.

INÈS. — Ha ! Parce que c'est un homme. (*A
Garcin.*) Vous avez gagné. (*Garcin ne répond*

pas.) Mais regardez-la donc ! (*Garcin ne répond pas.*) Ne jouez pas cette comédie ; vous n'avez pas perdu un mot de ce que nous disions.

GARCIN, *levant brusquement la tête.* — Vous pouvez le dire, pas un mot : j'avais beau m'enfoncer les doigts dans les oreilles, vous me bavardiez dans la tête. Allez-vous me laisser, à présent ? Je n'ai pas affaire à vous.

INÈS. — Et à la petite, avez-vous affaire ? J'ai vu votre manège : c'est pour l'intéresser que vous avez pris vos grands airs.

GARCIN. — Je vous dis de me laisser. Il y a quelqu'un qui parle de moi au journal et je voudrais écouter. Je me moque de la petite, si cela peut vous tranquilliser.

ESTELLE. — Merci.

GARCIN. — Je ne voulais pas être grossier...

ESTELLE. — Mufle !

     Un temps. Ils sont debout, les uns en face des autres.

GARCIN. — Et voilà ! (*Un temps.*) Je vous avais suppliées de vous taire.

ESTELLE. — C'est elle qui a commencé. Elle est venue m'offrir son miroir et je ne lui demandais rien.

INÈS. — Rien. Seulement tu te frottais contre lui et tu faisais des mines pour qu'il te regarde.

ESTELLE. — Et après ?

GARCIN. — Êtes-vous folles ? Vous ne voyez donc pas où nous allons. Mais taisez-vous ! (*Un temps.*) Nous allons nous rasseoir bien tranquillement, nous fermerons les yeux et chacun tâchera d'oublier la présence des autres.

     Un temps, il se rassied. Elles vont à

*leur place d'un pas hésitant. Inès se
retourne brusquement.*

Inès. — Ah ! oublier. Quel enfantillage ! Je
vous sens jusque dans mes os. Votre silence me
crie dans les oreilles. Vous pouvez vous clouer
la bouche, vous pouvez vous couper la langue,
est-ce que vous vous empêcherez d'exister ? Arrê-
terez-vous votre pensée ? Je l'entends, elle fait tic
tac, comme un réveil, et je sais que vous entendez
la mienne. Vous avez beau vous rencoigner sur
votre canapé, vous êtes partout, les sons m'ar-
rivent souillés parce que vous les avez entendus
au passage. Vous m'avez volé jusqu'à mon
visage : vous le connaissez et je ne le connais
pas. Et elle ? elle ? vous me l'avez volée : si nous
étions seules, croyez-vous qu'elle oserait me trai-
ter comme elle me traite ? Non, non : ôtez ces
mains de votre figure, je ne vous laisserai pas, ce
serait trop commode. Vous resteriez là, insen-
sible, plongé en vous-même comme un bouddha,
j'aurais les yeux clos, je sentirais qu'elle vous
dédie tous les bruits de sa vie, même les froisse-
ments de sa robe et qu'elle vous envoie des sourires que vous ne voyez pas... Pas de ça ! Je veux
choisir mon enfer ; je veux vous regarder de tous
mes yeux et lutter à visage découvert.

Garcin. — C'est bon. Je suppose qu'il fallait
en arriver là ; ils nous ont manœuvrés comme des
enfants. S'ils m'avaient logé avec des hommes...
les hommes savent se taire. Mais il ne faut pas
trop demander. (*Il va vers Estelle et lui passe la
main sous le menton.*) Alors, petite, je te plais ?
Il paraît que tu me faisais de l'œil ?

Estelle. — Ne me touchez pas.

GARCIN. — Bah ! Mettons-nous à l'aise. J'aimais beaucoup les femmes, sais-tu ? Et elles m'aimaient beaucoup. Mets-toi donc à l'aise, nous n'avons plus rien à perdre. De la politesse, pourquoi ? Des cérémonies, pourquoi ? Entre nous ! Tout à l'heure nous serons nus comme des vers.

ESTELLE. — Laissez-moi !

GARCIN. — Comme des vers ! Ah ! je vous avais prévenues. Je ne vous demandais rien, rien que la paix et un peu de silence. J'avais mis les doigts dans mes oreilles. Gomez parlait, debout entre les tables, tous les copains du journal écoutaient. En bras de chemise. Je voulais comprendre ce qu'ils disaient, c'était difficile : les événements de la terre passent si vite. Est-ce que vous ne pouviez pas vous taire ? A présent, c'est fini, il ne parle plus, ce qu'il pense de moi est rentré dans sa tête. Eh bien, il faudra que nous allions jusqu'au bout. Nus comme des vers : je veux savoir à qui j'ai affaire.

INÈS. — Vous le savez. A présent vous le savez.

GARCIN. — Tant que chacun de nous n'aura pas avoué pourquoi ils l'ont condamné, nous ne saurons rien. Toi, la blonde, commence. Pourquoi ? Dis-nous pourquoi : ta franchise peut éviter des catastrophes ; quand nous connaîtrons nos monstres... Allons, pourquoi ?

ESTELLE. — Je vous dis que j'ignore. Ils n'ont pas voulu me l'apprendre.

GARCIN. — Je sais. A moi non plus, ils n'ont pas voulu répondre. Mais je me connais. Tu as peur de parler la première ? Très bien. Je vais commencer. (*Un silence.*) Je ne suis pas très joli.

INÈS. — Ça va. On sait que vous avez déserté.

GARCIN. — Laissez ça. Ne parlez jamais de ça.
Je suis ici parce que j'ai torturé ma femme. C'est
tout. Pendant cinq ans. Bien entendu, elle souffre
encore. La voilà ; dès que je parle d'elle, je la
vois. C'est Gomez qui m'intéresse et c'est elle
que je vois. Où est Gomez ? Pendant cinq ans.
Dites donc, ils lui ont rendu mes effets ; elle est
assise près de la fenêtre et elle a pris mon veston
sur ses genoux. Le veston aux douze trous. Le
sang, on dirait de la rouille. Les bords des trous
sont roussis. Ha ! C'est une pièce de musée, un
veston historique. Et j'ai porté ça ! Pleureras-tu ?
Finiras-tu par pleurer ? Je rentrais saoul comme
un cochon, je sentais le vin et la femme. Elle
m'avait attendu toute la nuit ; elle ne pleurait
pas. Pas un mot de reproche, naturellement. Ses
yeux, seulement. Ses grands yeux. Je ne regrette
rien. Je paierai, mais je ne regrette rien. Il neige
dehors. Mais pleureras-tu ? C'est une femme qui
a la vocation du martyre.

INÈS, *presque doucement.* — Pourquoi l'avez-
vous fait souffrir ?

GARCIN. — Parce que c'était facile. Il suffisait
d'un mot pour la faire changer de couleur ;
c'était une sensitive. Ha ! Pas un reproche ! Je
suis très taquin. J'attendais, j'attendais toujours.
Mais non, pas un pleur, pas un reproche. Je
l'avais tirée du ruisseau, comprenez-vous ? Elle
passe la main sur le veston, sans le regarder. Ses
doigts cherchent les trous à l'aveuglette. Qu'attends-tu ? Qu'espères-tu ? Je te dis que je ne
regrette rien. Enfin voilà : elle m'admirait trop.
Comprenez-vous ça ?

INÈS. — Non. On ne m'admirait pas.

GARCIN. — Tant mieux. Tant mieux pour vous.
Tout cela doit vous paraître abstrait. Eh bien,
voici une anecdote : j'avais installé chez moi une
mulâtresse. Quelles nuits ! Ma femme couchait au
premier, elle devait nous entendre. Elle se levait
la première et, comme nous faisions la grasse
matinée, elle nous apportait le petit déjeuner au
lit.

INÈS. — Goujat !

GARCIN. — Mais oui, mais oui, le goujat bien-
aimé. (*Il paraît distrait.*) Non, rien. C'est Gomez,
mais il ne parle pas de moi. Un goujat, disiez-
vous ? Dame : sinon, qu'est-ce que je ferais ici ?
Et vous ?

INÈS. — Eh bien, j'étais ce qu'ils appellent,
là-bas, une femme damnée. *Déjà* damnée, n'est-ce
pas. Alors, il n'y a pas eu de grosse surprise.

GARCIN. — C'est tout ?

INÈS. — Non, il y a aussi cette affaire avec
Florence. Mais c'est une histoire de morts. Trois
morts. Lui d'abord, ensuite elle et moi. Il ne
reste plus personne là-bas, je suis tranquille ; la
chambre, simplement. Je vois la chambre, de
temps en temps. Vide, avec des volets clos. Ah !
ah ! Ils ont fini par ôter les scellés. A louer...
Elle est à louer. Il y a un écriteau sur la porte.
C'est... dérisoire.

GARCIN. — Trois. Vous avez bien dit trois ?

INÈS. — Trois.

GARCIN. — Un homme et deux femmes ?

INÈS. — Oui.

GARCIN. — Tiens. (*Un silence.*) Il s'est tué ?

INÈS. — Lui ? Il en était bien incapable. Pourtant ce n'est pas faute d'avoir souffert. Non :

c'est un tramway qui l'a écrasé. De la rigolade !
J'habitais chez eux, c'était mon cousin.

GARCIN. — Florence était blonde ?

INÈS. — Blonde ? (*Regard à Estelle.*) Vous
savez, je ne regrette rien, mais ça ne m'amuse
pas tant de vous raconter cette histoire.

GARCIN. — Allez ! allez ! Vous avez été dégoû-
tée de lui ?

INÈS. — Petit à petit. Un mot, de-ci, de-là. Par
exemple, il faisait du bruit en buvant ; il soufflait
par le nez dans son verre. Des riens. Oh ! c'était
un pauvre type, vulnérable. Pourquoi souriez-
vous ?

GARCIN. — Parce que moi, je ne suis pas vulnérable.

INÈS. — C'est à voir. Je me suis glissée en elle,
elle l'a vu par mes yeux... Pour finir, elle m'est
restée sur les bras. Nous avons pris une chambre
à l'autre bout de la ville.

GARCIN. — Alors ?

INÈS. — Alors il y a eu ce tramway. Je lui
disais tous les jours : Eh bien, ma petite ! Nous
l'avons tué. (*Un silence.*) Je suis méchante.

GARCIN. — Oui. Moi aussi.

INÈS. — Non, vous, vous n'êtes pas méchant.
C'est autre chose.

GARCIN. — Quoi ?

INÈS. — Je vous le dirai plus tard. Moi, je suis
méchante : ça veut dire que j'ai besoin de la souffrance des autres pour exister. Une torche. Une
torche dans les cœurs. Quand je suis toute seule,
je m'éteins. Six mois durant, j'ai flambé dans son
cœur ; j'ai tout brûlé. Elle s'est levée une nuit ;
elle a été ouvrir le robinet du gaz sans que je

m'en doute, et puis elle s'est recouchée près de moi. Voilà.

Garcin. — Hum !

Inès. — Quoi ?

Garcin. — Rien. Ça n'est pas propre.

Inès. — Eh bien, non, ça n'est pas propre. Après ?

Garcin. — Oh ! vous avez raison. (*A Estelle.*) A toi. Qu'est-ce que tu as fait ?

Estelle. — Je vous ai dit que je n'en savais rien. J'ai beau m'interroger...

Garcin. — Bon. Eh bien, on va t'aider. Ce type au visage fracassé, qui est-ce ?

Estelle. — Quel type ?

Inès. — Tu le sais fort bien. Celui dont tu avais peur, quand tu es entrée.

Estelle. — C'est un ami.

Garcin. — Pourquoi avais-tu peur de lui ?

Estelle. — Vous n'avez pas le droit de m'interroger.

Inès. — Il s'est tué à cause de toi ?

Estelle. — Mais non, vous êtes folle.

Garcin. — Alors, pourquoi te faisait-il peur ? Il s'est lâché un coup de fusil dans la figure, hein ? C'est ça qui lui a emporté la tête ?

Estelle. — Taisez-vous ! taisez-vous !

Garcin. — A cause de toi ! A cause de toi !

Inès. — Un coup de fusil à cause de toi !

Estelle. — Laissez-moi tranquille. Vous me faites peur. Je veux m'en aller ! Je veux m'en aller !

> *Elle se précipite vers la porte et la secoue.*

Garcin. — Va-t'en. Moi, je ne demande pas

mieux. Seulement la porte est fermée de l'exté-
rieur.

> *Estelle sonne ; le timbre ne retentit*
> *pas. Inès et Garcin rient. Estelle se*
> *retourne sur eux, adossée à la porte.*

ESTELLE, *la voix rauque et lente.* — Vous êtes
ignobles.

INÈS. — Parfaitement, ignobles. Alors ? Donc
le type s'est tué à cause de toi. C'était ton amant ?

GARCIN. — Bien entendu, c'était son amant. Et
il a voulu l'avoir pour lui tout seul. Ça n'est pas
vrai ?

INÈS. — Il dansait le tango comme un professionnel, mais il était pauvre, j'imagine.

> *Un silence.*

GARCIN. — On te demande s'il était pauvre.

ESTELLE. — Oui, il était pauvre.

GARCIN. — Et puis, tu avais ta réputation à
garder. Un jour il est venu, il t'a suppliée et tu
as rigolé.

INÈS. — Hein ? Hein ? Tu as rigolé ? C'est
pour cela qu'il s'est tué ?

ESTELLE. — C'est avec ces yeux-là que tu regardais Florence ?

INÈS. — Oui.

> *Un temps. Estelle se met à rire.*

ESTELLE. — Vous n'y êtes pas du tout. (*Elle*
se redresse et les regarde, toujours adossée à la
porte. D'un ton sec et provocant :) Il voulait me
faire un enfant. Là, êtes-vous contents ?

GARCIN. — Et toi, tu ne voulais pas.

ESTELLE. — Non. L'enfant est venu tout de
même. Je suis allée passer cinq mois en Suisse.
Personne n'a rien su. C'était une fille. Roger était

près de moi quand elle est née. Ça l'amusait
d'avoir une fille. Pas moi.

GARCIN. — Après ?

ESTELLE. — Il y avait un balcon, au-dessus
d'un lac. J'ai apporté une grosse pierre. Il criait :
« Estelle, je t'en prie, je t'en supplie. » Je le
détestais. Il a tout vu. Il s'est penché sur le balcon et il a vu des ronds sur le lac.

GARCIN. — Après ?

ESTELLE. — C'est tout. Je suis revenue à Paris.
Lui, il a fait ce qu'il a voulu.

GARCIN. — Il s'est fait sauter la tête ?

ESTELLE. — Bien oui. Ça n'en valait pas la
peine ; mon mari ne s'est jamais douté de rien.
(*Un temps.*) Je vous hais.

> *Elle a une crise de sanglots secs.*

GARCIN. — Inutile. Ici les larmes ne coulent
pas.

ESTELLE. — Je suis lâche ! Je suis lâche ! (*Un
temps.*) Si vous saviez comme je vous hais !

INÈS, *la prenant dans ses bras.* — Mon pauvre
petit ! (*A Garcin :*) L'enquête est finie. Pas la
peine de garder cette gueule de bourreau.

GARCIN. — De bourreau... (*Il regarde autour de
lui.*) Je donnerais n'importe quoi pour me voir
dans une glace. (*Un temps.*) Qu'il fait chaud !
(*Il ôte machinalement son veston.*) Oh ! pardon.

> *Il va pour le remettre.*

ESTELLE. — Vous pouvez rester en bras de chemise. A présent...

GARCIN. — Oui. (*Il jette son veston sur le
canapé.*) Il ne faut pas m'en vouloir, Estelle.

ESTELLE. — Je ne vous en veux pas.

INÈS. — Et à moi ? Tu m'en veux, à moi ?

Estelle. — Oui.

Un silence.

Inès. — Eh bien, Garcin ? Nous voici nus comme des vers ; y voyez-vous plus clair ?

Garcin. — Je ne sais pas. Peut-être un peu plus clair. (*Timidement.*) Est-ce que nous ne pourrions pas essayer de nous aider les uns les autres ?

Inès. — Je n'ai pas besoin d'aide.

Garcin. — Inès, ils ont embrouillé tous les fils. Si vous faites le moindre geste, si vous levez la main pour vous éventer, Estelle et moi nous sentons la secousse. Aucun de nous ne peut se sauver seul ; il faut que nous nous perdions ensemble ou que nous nous tirions d'affaire ensemble. Choisissez. (*Un temps.*) Qu'est-ce qu'il y a ?

Inès. — Ils l'ont louée. Les fenêtres sont grandes ouvertes, un homme est assis sur mon lit. Ils l'ont louée ! ils l'ont louée ! Entrez, entrez, ne vous gênez pas. C'est une femme. Elle va vers lui et lui met les mains sur les épaules... Qu'est-ce qu'ils attendent pour allumer, on n'y voit plus ; est-ce qu'ils vont s'embrasser ? Cette chambre est à moi ! Elle est à moi ! Et pourquoi n'allument-ils pas ? Je ne peux plus les voir. Qu'est-ce qu'ils chuchotent ? Est-ce qu'il va la caresser sur *mon* lit ? Elle lui dit qu'il est midi et qu'il fait grand soleil. Alors, c'est que je deviens aveugle. (*Un temps.*) Fini. Plus rien : je ne vois plus, je n'entends plus. Eh bien, je suppose que j'en ai fini avec la terre. Plus d'alibi. (*Elle frissonne.*) Je me sens vide. A présent, je suis tout à fait morte. Tout entière ici. (*Un temps.*) Vous disiez ? Vous parliez de m'aider, je crois ?

GARCIN. — Oui.

INÈS. — A quoi ?

GARCIN. — A déjouer leurs ruses.

INÈS. — Et moi, en échange ?

GARCIN. — Vous m'aiderez. Il faudrait peu de chose, Inès : tout juste un peu de bonne volonté.

INÈS. — De la bonne volonté... Où voulez-vous que j'en prenne ? Je suis pourrie.

GARCIN. — Et moi ? (*Un temps.*) Tout de même, si nous essayions ?

INÈS. — Je suis sèche. Je ne peux ni recevoir ni donner ; comment voulez-vous que je vous aide ? Une branche morte, le feu va s'y mettre. (*Un temps ; elle regarde Estelle qui a la tête dans ses mains.*) Florence était blonde.

GARCIN. — Est-ce que vous savez que cette petite sera votre bourreau ?

INÈS. — Peut-être bien que je m'en doute.

GARCIN. — C'est par elle qu'ils vous auront. En ce qui me concerne, je... je... je ne lui prête aucune attention. Si de votre côté...

INÈS. — Quoi ?

GARCIN. — C'est un piège. Ils vous guettent pour savoir si vous vous y laisserez prendre.

INÈS. — Je sais. Et *vous*, vous êtes un piège. Croyez-vous qu'ils n'ont pas prévu vos paroles ? Et qu'il ne s'y cache pas des trappes que nous ne pouvons pas voir ? Tout est piège. Mais qu'est-ce que cela me fait ? Moi aussi, je suis un piège. Un piège pour elle. C'est peut-être moi qui l'attraperai.

GARCIN. — Vous n'attraperez rien du tout. Nous nous courrons après comme des chevaux de bois, sans jamais nous rejoindre : vous pouvez

croire qu'ils ont tout arrangé. Laissez tomber,
Inès. Ouvrez les mains, lâchez prise. Sinon vous
ferez notre malheur à tous trois.

Inès. — Est-ce que j'ai une tête à lâcher prise ?
Je sais ce qui m'attend. Je vais brûler, je brûle
et je sais qu'il n'y aura pas de fin ; je sais tout :
croyez-vous que je lâcherai prise ? Je l'aurai, elle
vous verra par mes yeux, comme Florence voyait
l'autre. Qu'est-ce que vous venez me parler de
votre malheur : je vous dis que je sais tout et je
ne peux même pas avoir pitié de moi. Un piège,
ha ! un piège. Naturellement je suis prise au
piège. Et puis après ? Tant mieux, s'ils sont
contents.

Garcin, *la prenant par l'épaule*. — Moi, je
peux avoir pitié de vous. Regardez-moi : nous
sommes nus. Nus jusqu'aux os et je vous connais
jusqu'au cœur. C'est un lien : croyez-vous que je
voudrais vous faire du mal ? Je ne regrette rien,
je ne me plains pas ; moi aussi, je suis sec. Mais
de vous, je peux avoir pitié.

Inès, *qui s'est laissé faire pendant qu'il parlait, se secoue*. — Ne me touchez pas. Je déteste
qu'on me touche. Et gardez votre pitié. Allons !
Garcin, il y a aussi beaucoup de pièges pour
vous, dans cette chambre. Pour vous. Préparés
pour vous. Vous feriez mieux de vous occuper de
vos affaires. (*Un temps.*) Si vous nous laissez tout
à fait tranquilles, la petite et moi, je ferai en
sorte de ne pas vous nuire.

Garcin *la regarde un moment, puis hausse les
épaules*. — C'est bon.

Estelle, *relevant la tête*. — Au secours, Garcin.

Garcin. — Que me voulez-vous ?

Estelle, *se levant et s'approchant de lui.* —
Moi, vous pouvez m'aider.

Garcin. — Adressez-vous à elle.

> *Inès s'est rapprochée, elle se place tout
> contre Estelle, par derrière, sans la tou-
> cher. Pendant les répliques suivantes,
> elle lui parlera presque à l'oreille. Mais
> Estelle, tournée vers Garcin, qui la
> regarde sans parler, répond uniquement
> à celui-ci comme si c'était lui qui l'inter-
> rogeait.*

Estelle. — Je vous en prie, vous avez promis,
Garcin, vous avez promis ! Vite, vite, je ne veux
pas rester seule. Olga l'a emmené au dancing.

Inès. — Qui a-t-elle emmené ?

Estelle. — Pierre. Ils dansent ensemble.

Inès. — Qui est Pierre ?

Estelle. — Un petit niais. Il m'appelait son
eau vive. Il m'aimait. Elle l'a emmené au dancing.

Inès. — Tu l'aimes ?

Estelle. — Ils se rasseyent. Elle est à bout
de souffle. Pourquoi danse-t-elle ? A moins que
ce ne soit pour se faire maigrir. Bien sûr que
non. Bien sûr que je ne l'aimais pas : il a dix-
huit ans et je ne suis pas une ogresse, moi.

Inès. — Alors laisse-les. Qu'est-ce que cela
peut te faire ?

Estelle. — Il était à moi.

Inès. — Rien n'est plus à toi sur la terre.

Estelle. — Il était à moi.

Inès. — Oui, il *était*... Essaye de le prendre,
essaye de le toucher. Olga peut le toucher, elle.

N'est-ce pas ? N'est-ce pas ? Elle peut lui tenir les mains, lui frôler les genoux.

ESTELLE. — Elle pousse contre lui son énorme poitrine, elle lui souffle dans la figure. Petit Poucet, pauvre Petit Poucet, qu'attends-tu pour lui éclater de rire au nez ? Ah ! il m'aurait suffi d'un regard, elle n'aurait jamais osé... Est-ce que je ne suis vraiment plus rien ?

INÈS. — Plus rien. Et il n'y a plus rien de toi sur la terre : tout ce qui t'appartient est ici. Veux-tu le coupe-papier ? Le bronze de Barbedienne ? Le canapé bleu est à toi. Et moi, mon petit, moi je suis à toi pour toujours.

ESTELLE. — Ha ? A moi ? Eh bien, lequel de vous deux oserait m'appeler son eau vive ? On ne vous trompe pas, vous autres, vous savez que je suis une ordure. Pense à moi, Pierre, ne pense qu'à moi, défends-moi ; tant que tu penses : mon eau vive, ma chère eau vive, je ne suis ici qu'à moitié, je ne suis qu'à moitié coupable, je suis eau vive là-bas, près de toi. Elle est rouge comme une tomate. Voyons, c'est impossible : nous avons cent fois ri d'elle ensemble. Qu'est-ce que c'est que cet air-là ? je l'aimais tant. Ah ! c'est *Saint Louis Blues*... Eh bien, dansez, dansez. Garcin, vous vous amuseriez si vous pouviez la voir. Elle ne saura donc jamais que je la *vois*. Je te vois, je te vois, avec ta coiffure défaite, ton visage chaviré, je vois que tu lui marches sur les pieds. C'est à mourir de rire. Allons ! Plus vite ! Plus vite ! Il la tire, il la pousse. C'est indécent. Plus vite ! Il me disait : Vous êtes si légère. Allons, allons ! (*Elle danse en parlant.*) Je te dis que je te vois. Elle s'en moque, elle danse à travers mon

regard. Notre chère Estelle ! Quoi, notre chère
Estelle ? Ah ! tais-toi. Tu n'as même pas versé
une larme aux obsèques. Elle lui a dit « notre
chère Estelle ». Elle a le toupet de lui parler de
moi. Allons ! en mesure. Ce n'est pas elle qui
pourrait parler et danser à la fois. Mais qu'est-ce
que... Non ! non ! ne lui dis pas ! je te l'abandonne, emporte-le, garde-le, fais-en ce que tu
voudras, mais ne lui dis pas... (*Elle s'est arrêtée
de danser.*) Bon. Eh bien, tu peux le garder à
présent. Elle lui a tout dit, Garcin : Roger, le
voyage en Suisse, l'enfant, elle lui a tout raconté.
« Notre chère Estelle n'était pas... » Non, non,
en effet, je n'étais pas... Il branle la tête d'un air
triste, mais on ne peut pas dire que la nouvelle
l'ait bouleversé. Garde-le à présent. Ce ne sont
pas ses longs cils ni ses airs de fille que je te dis-
puterai. Ha ! il m'appelait son eau vive, son
cristal. Eh bien, le cristal est en miettes. « Notre
chère Estelle. » Dansez ! dansez, voyons ! En
mesure. Une, deux. (*Elle danse.*) Je donnerais
tout au monde pour revenir sur terre un instant,
un seul instant, et pour danser. (*Elle danse ; un
temps.*) Je n'entends plus très bien. Ils ont éteint
les lampes comme pour un tango ; pourquoi
jouent-ils en sourdine ? Plus fort ! Que c'est loin !
Je... Je n'entends plus du tout. (*Elle cesse de
danser.*) Jamais plus. La terre m'a quittée. Garcin, regarde-moi, prends-moi dans tes bras.

> *Inès fait signe à Garcin de s'écarter,
> derrière le dos d'Estelle.*

Inès, *impérieusement.* — Garcin !

Garcin *recule d'un pas et désigne Inès à
Estelle.* — Adressez-vous à elle.

ESTELLE *l'agrippe.* — Ne vous en allez pas !
Est-ce que vous êtes un homme ? Mais regardez-
moi donc, ne détournez pas les yeux : est-ce donc
si pénible ? J'ai des cheveux d'or, et, après tout,
quelqu'un s'est tué pour moi. Je vous supplie, il
faut bien que vous regardiez quelque chose. Si
ce n'est pas moi, ce sera le bronze, la table ou
les canapés. Je suis tout de même plus agréable
à voir. Écoute : je suis tombée de leurs cœurs
comme un petit oiseau tombe du nid. Ramasse-
moi, prends-moi, dans ton cœur, tu verras comme
je serai gentille.

GARCIN, *la repoussant avec effort.* — Je vous
dis de vous adresser à elle.

ESTELLE. — A elle ? Mais elle ne compte pas :
c'est une femme.

INÈS. — Je ne compte pas ? Mais, petit oiseau,
petite alouette, il y a beau temps que tu es à
l'abri dans mon cœur. N'aie pas peur, je te regarderai sans répit, sans un battement de paupières.
Tu vivras dans mon regard comme une paillette
dans un rayon de soleil.

ESTELLE. — Un rayon de soleil ? Ha ! fichez-
moi donc la paix. Vous m'avez fait le coup tout
à l'heure et vous avez bien vu qu'il a raté.

INÈS. — Estelle ! Mon eau vive, mon cristal.

ESTELLE. — *Votre* cristal ? C'est bouffon. Qui
pensez-vous tromper ? Allons, tout le monde sait
que j'ai flanqué l'enfant par la fenêtre. Le cristal
est en miettes sur la terre et je m'en moque. Je
ne suis plus qu'une peau — et ma peau n'est pas
pour vous.

INÈS. — Viens ! Tu seras ce que tu voudras :

eau vive, eau sale, tu te retrouveras au fond de mes yeux telle que tu te désires.

ESTELLE. — Lâchez-moi ! Vous n'avez pas d'yeux ! Mais qu'est-ce qu'il faut que je fasse pour que tu me lâches ? Tiens !

> *Elle lui crache à la figure.*
> *Inès la lâche brusquement.*

INÈS. — Garcin ! Vous me le paierez !

> *Un temps, Garcin hausse les épaules et va vers Estelle.*

GARCIN. — Alors ? Tu veux un homme ?

ESTELLE. — Un homme, non. Toi.

GARCIN. — Pas d'histoire. N'importe qui ferait l'affaire. Je me suis trouvé là, c'est moi. Bon. (*Il la prend aux épaules.*) Je n'ai rien pour te plaire, tu sais : je ne suis pas un petit niais et je ne danse pas le tango.

ESTELLE. — Je te prendrai comme tu es. Je te changerai peut-être.

GARCIN. — J'en doute. Je serai... distrait. J'ai d'autres affaires en tête.

ESTELLE. — Quelles affaires ?

GARCIN. — Ça ne t'intéresserait pas.

ESTELLE. — Je m'assiérai sur ton canapé. J'attendrai que tu t'occupes de moi.

INÈS, *éclatant de rire.* — Ha ! chienne ! A plat ventre ! A plat ventre ! Et il n'est même pas beau !

ESTELLE, *à Garcin.* — Ne l'écoute pas. Elle n'a pas d'yeux, elle n'a pas d'oreilles. Elle ne compte pas.

GARCIN. — Je te donnerai ce que je pourrai. Ce n'est pas beaucoup. Je ne t'aimerai pas : je te connais trop.

ESTELLE. — Est-ce que tu me désires ?

GARCIN. — Oui.

ESTELLE. — C'est tout ce que je veux.

GARCIN. — Alors...

Il se penche sur elle.

INÈS. — Estelle ! Garcin ! Vous perdez le sens ! Mais je suis là, moi !

GARCIN. — Je vois bien, et après ?

INÈS. — Devant moi ? Vous ne... vous ne pouvez pas !

ESTELLE. — Pourquoi ? Je me déshabillais bien devant ma femme de chambre.

INÈS, *s'agrippant à Garcin.* — Laissez-la ! Laissez-la ! ne la touchez pas de vos sales mains d'homme !

GARCIN, *la repoussant violemment.* — Ça va : je ne suis pas un gentilhomme, je n'aurai pas peur de cogner sur une femme.

INÈS. — Vous m'aviez promis, Garcin, vous m'aviez promis ! Je vous en supplie, vous m'aviez promis !

GARCIN. — C'est vous qui avez rompu le pacte.

Inès se dégage et recule au fond de la pièce.

INÈS. — Faites ce que vous voudrez, vous êtes les plus forts. Mais rappelez-vous, je suis là et je vous regarde. Je ne vous quitterai pas des yeux, Garcin ; il faudra que vous l'embrassiez sous mon regard. Comme je vous hais tous les deux ! Aimez-vous, aimez-vous ! Nous sommes en enfer et j'aurai mon tour.

Pendant la scène suivante, elle les regardera sans mot dire.

GARCIN *revient vers Estelle et la prend aux épaules.* — Donne-moi ta bouche.

   Un temps. Il se penche sur elle et brusquement se redresse.

ESTELLE, *avec un geste de dépit.* — Ha !... (*Un temps.*) Je t'ai dit de ne pas faire attention à elle.

 GARCIN. — Il s'agit bien d'elle. (*Un temps.*) Gomez est au journal. Ils ont fermé les fenêtres ; c'est donc l'hiver. Six mois. Il y a six mois qu'ils m'ont... Je t'ai prévenue qu'il m'arriverait d'être distrait ? Ils grelottent ; ils ont gardé leurs vestons... C'est drôle qu'ils aient si froid, là-bas : et moi j'ai si chaud. Cette fois-ci, c'est de moi qu'il parle.

 ESTELLE. — Ça va durer longtemps ? (*Un temps.*) Dis-moi au moins ce qu'il raconte.

 GARCIN. — Rien. Il ne raconte rien. C'est un salaud, voilà tout. (*Il prête l'oreille.*) Un beau salaud. Bah ! (*Il se rapproche d'Estelle.*) Revenons à nous ! M'aimeras-tu ?

 ESTELLE, *souriant.* — Qui sait ?

 GARCIN. — Auras-tu confiance en moi ?

 ESTELLE. — Quelle drôle de question : tu seras constamment sous mes yeux et ce n'est pas avec Inès que tu me tromperas.

 GARCIN. — Évidemment. (*Un temps. Il lâche les épaules d'Estelle.*) Je parlais d'une autre confiance. (*Il écoute.*) Va ! va ! dis ce que tu veux : je ne suis pas là pour me défendre. (*A Estelle.*) Estelle, il *faut* me donner ta confiance.

 ESTELLE. — Que d'embarras ! Mais tu as ma bouche, mes bras, mon corps entier, et tout pourrait être si simple... Ma confiance ? Mais je n'ai pas de confiance à donner, moi ; tu me gênes horriblement. Ah ! il faut que tu aies fait un bien mauvais coup pour me réclamer ainsi ma confiance.

GARCIN. — Ils m'ont fusillé.

ESTELLE. — Je sais : tu avais refusé de partir. Et puis ?

GARCIN. — Je... Je n'avais pas tout à fait refusé. (*Aux invisibles.*) Il parle bien, il blâme comme il faut, mais il ne dit pas ce qu'il faut faire. Allais-je entrer chez le général et lui dire : « Mon général, je ne pars pas » ? Quelle sottise ! Ils m'auraient coffré. Je voulais témoigner, moi, témoigner ! Je ne voulais pas qu'ils étouffent ma voix. (*A Estelle.*) Je... J'ai pris le train. Ils m'ont pincé à la frontière.

ESTELLE. — Où voulais-tu aller ?

GARCIN. — A Mexico. Je comptais y ouvrir un journal pacifiste. (*Un silence.*) Eh bien, dis quelque chose.

ESTELLE. — Que veux-tu que je te dise ? Tu as bien fait puisque tu ne voulais pas te battre. (*Geste agacé de Garcin.*) Ah ! mon chéri, je ne peux pas deviner ce qu'il faut te répondre.

INÈS. — Mon trésor, il faut lui dire qu'il s'est enfui comme un lion. Car il s'est enfui, ton gros chéri. C'est ce qui le taquine.

GARCIN. — Enfui, parti ; appelez-le comme vous voudrez.

ESTELLE. — Il fallait bien que tu t'enfuies. Si tu étais resté, ils t'auraient mis la main au collet.

GARCIN. — Bien sûr. (*Un temps.*) Estelle, est-ce que je suis un lâche ?

ESTELLE. — Mais je n'en sais rien, mon amour,

je ne suis pas dans ta peau. C'est à toi de décider.

GARCIN, *avec un geste las.* — Je ne décide pas.

ESTELLE. — Enfin tu dois bien te rappeler ; tu devais avoir des raisons pour agir comme tu l'as fait.

GARCIN. — Oui.

ESTELLE. — Eh bien ?

GARCIN. — Est-ce que ce sont les vraies raisons ?

ESTELLE, *dépitée.* — Comme tu es compliqué.

GARCIN. — Je voulais témoigner, je... j'avais longuement réfléchi... Est-ce que ce sont les vraies raisons ?

INÈS. — Ah ! voilà la question. Est-ce que ce sont les vraies raisons ? Tu raisonnais, tu ne voulais pas t'engager à la légère. Mais la peur, la haine et toutes les saletés qu'on cache, ce sont *aussi* des raisons. Allons, cherche, interroge-toi.

GARCIN. — Tais-toi ! Crois-tu que j'aie attendu tes conseils ? Je marchais dans ma cellule, la nuit, le jour. De la fenêtre à la porte, de la porte à la fenêtre. Je me suis épié. Je me suis suivi à la trace. Il me semble que j'ai passé une vie entière à m'interroger, et puis quoi, l'acte était là. Je... J'ai pris le train, voilà ce qui est sûr. Mais pourquoi ? Pourquoi ? A la fin j'ai pensé : c'est ma mort qui décidera ; si je meurs proprement, j'aurai prouvé que je ne suis pas un lâche...

INÈS. — Et comment es-tu mort, Garcin ?

GARCIN. — Mal. (*Inès éclate de rire.*) Oh ! c'était une simple défaillance corporelle. Je n'en ai pas honte. Seulement tout est resté en suspens pour toujours. (*A Estelle.*) Viens là, toi. Regarde-moi. J'ai besoin que quelqu'un me regarde pen-

dant qu'ils parlent de moi sur terre. J'aime les
yeux verts.

INÈS. — Les yeux verts ? Voyez-vous ça ! Et
toi, Estelle ? aimes-tu les lâches ?

ESTELLE. — Si tu savais comme ça m'est égal.
Lâche ou non, pourvu qu'il embrasse bien.

GARCIN. — Ils dodelinent de la tête en tirant
sur leurs cigares ; ils s'ennuient. Ils pensent :
Garcin est un lâche. Mollement, faiblement. Histoire de penser tout de même à quelque chose.
Garcin est un lâche ! Voilà ce qu'ils ont décidé,
eux, mes copains. Dans six mois, ils diront :
lâche comme Garcin. Vous avez de la chance
vous deux ; personne ne pense plus à vous sur la
terre. Moi, j'ai la vie plus dure.

INÈS. — Et votre femme, Garcin ?

GARCIN. — Eh bien, quoi, ma femme. Elle est
morte.

INÈS. — Morte ?

GARCIN. — J'ai dû oublier de vous le dire. Elle
est morte tout à l'heure. Il y a deux mois environ.

INÈS. — De chagrin ?

GARCIN. — Naturellement, de chagrin. De quoi
voulez-vous qu'elle soit morte ? Allons, tout va
bien : la guerre est finie, ma femme est morte et
je suis entré dans l'histoire.

*Il a un sanglot sec et se passe la main
sur la figure. Estelle s'accroche à lui.*

ESTELLE. — Mon chéri, mon chéri ! Regarde-
moi, mon chéri ! Touche-moi, touche-moi. (*Elle
lui prend la main et la met sur sa gorge.*) Mets ta
main sur ma gorge. (*Garcin fait un mouvement
pour se dégager.*) Laisse ta main ; laisse-la, ne
bouge pas. Ils vont mourir un à un : qu'importe ce

qu'ils pensent. Oublie-les. Il n'y a plus que moi.

GARCIN, *dégageant sa main.* — Ils ne m'oublient pas, eux. Ils mourront, mais d'autres viendront, qui prendront la consigne : je leur ai laissé ma vie entre les mains.

ESTELLE. — Ah ! tu penses trop !

GARCIN. — Que faire d'autre ? Autrefois, j'agissais... Ah ! revenir un seul jour au milieu d'eux... quel démenti ! Mais je suis hors jeu ; ils font le bilan sans s'occuper de moi, et ils ont raison puisque je suis mort. Fait comme un rat. (*Il rit*). Je suis tombé dans le domaine public.

Un silence.

ESTELLE, *doucement.* — Garcin !

GARCIN. — Tu es là ? Eh bien, écoute, tu vas me rendre un service. Non, ne recule pas. Je sais : cela te semble drôle qu'on puisse te demander du secours, tu n'as pas l'habitude. Mais si tu voulais, si tu faisais un effort, nous pourrions peut-être nous aimer pour de bon ? Vois ; ils sont mille à répéter que je suis un lâche. Mais qu'est-ce que c'est, mille ? S'il y avait une âme, une seule, pour affirmer de toutes ses forces que je n'ai pas fui, que je ne *peux pas avoir* fui, que j'ai du courage, que je suis propre, je... je suis sûr que je serais sauvé ! Veux-tu croire en moi ? Tu me serais plus chère que moi-même.

ESTELLE, *riant.* — Idiot ! cher idiot ! Penses-tu que je pourrais aimer un lâche ?

GARCIN. — Mais tu disais...

ESTELLE. — Je me moquais de toi. J'aime les hommes, Garcin, les vrais hommes, à la peau rude, aux mains fortes. Tu n'as pas le menton d'un lâche, tu n'as pas la bouche d'un lâche, tu n'as pas la voix d'un lâche, tes cheveux ne sont pas ceux d'un lâche. Et c'est pour ta bouche, pour ta voix, pour tes cheveux que je t'aime.

GARCIN. — C'est vrai ? C'est bien vrai ?

ESTELLE. — Veux-tu que je te le jure ?

GARCIN. — Alors je les défie tous, ceux de là-bas et ceux d'ici. Estelle, nous sortirons de l'enfer. (*Inès éclate de rire. Il s'interrompt et la regarde.*) Qu'est-ce qu'il y a ?

INÈS, *riant.* — Mais elle ne croit pas un mot de ce qu'elle dit ; comment peux-tu être si naïf ? « Estelle, suis-je un lâche ? » Si tu savais ce qu'elle s'en moque !

ESTELLE. — Inès ! (*A Garcin.*) Ne l'écoute pas. Si tu veux ma confiance il faut commencer par me donner la tienne.

INÈS. — Mais oui, mais oui ! Fais-lui donc confiance. Elle a besoin d'un homme, tu peux le croire, d'un bras d'homme autour de sa taille, d'une odeur d'homme, d'un désir d'homme dans des yeux d'homme. Pour le reste... Ha ! elle te dirait que tu es Dieu le Père, si cela pouvait te faire plaisir.

GARCIN. — Estelle ! Est-ce que c'est vrai ? Réponds ; est-ce que c'est vrai ?

ESTELLE. — Que veux-tu que je te dise ? Je ne comprends rien à toutes ces histoires. (*Elle tape du pied.*) Que tout cela est donc agaçant ! Même si tu étais un lâche, je t'aimerais, là ! Cela ne te suffit pas ?

Un temps.

GARCIN, *aux deux femmes.* — Vous me dégoûtez !

Il va vers la porte.

ESTELLE. — Qu'est-ce que tu fais ?

GARCIN. — Je m'en vais.

INÈS, *vite*. — Tu n'iras pas loin : la porte est
fermée.

GARCIN. — Il faudra bien qu'ils l'ouvrent.

       Il appuie sur le bouton de sonnette.
       La sonnette ne fonctionne pas.

ESTELLE. — Garcin !

INÈS, *à Estelle*. — Ne t'inquiète pas ; la sonnette est détraquée.

GARCIN. — Je vous dis qu'ils ouvriront. (*Il tam-
bourine contre la porte.*) Je ne peux plus vous
supporter, je ne peux plus. (*Estelle court vers lui,
il la repousse.*) Va-t'en ! Tu me dégoûtes encore
plus qu'elle. Je ne veux pas m'enliser dans tes
yeux. Tu es moite ! tu es molle ! Tu es une
pieuvre, tu es un marécage. (*Il frappe contre la
porte.*) Allez-vous ouvrir ?

ESTELLE. — Garcin, je t'en supplie, ne pars
pas, je ne te parlerai plus, je te laisserai tout à
fait tranquille, mais ne pars pas. Inès a sorti ses
griffes, je ne veux plus rester seule avec elle.

GARCIN. — Débrouille-toi. Je ne t'ai pas demandé de venir.

ESTELLE. — Lâche ! lâche ! Oh ! c'est bien vrai
que tu es lâche.

INÈS, *se rapprochant d'Estelle*. — Eh bien, mon
alouette, tu n'es pas contente ? Tu m'as craché à
la figure pour lui plaire et nous nous sommes
brouillées à cause de lui. Mais il s'en va, le
trouble-fête, il va nous laisser entre femmes.

ESTELLE. — Tu n'y gagneras rien ; si cette
porte s'ouvre, je m'enfuis.

INÈS. — Où ?

ESTELLE. — N'importe où. Le plus loin de toi possible.

> *Garcin n'a cessé de tambouriner contre la porte.*

GARCIN. — Ouvrez ! Ouvrez donc ! J'accepte tout : les brodequins, les tenailles, le plomb fondu, les pincettes, le garrot, tout ce qui brûle, tout ce qui déchire, je veux souffrir pour de bon. Plutôt cent morsures, plutôt le fouet, le vitriol, que cette souffrance de tête, ce fantôme de souffrance, qui frôle, qui caresse et qui ne fait jamais assez mal. (*Il saisit le bouton de la porte et le secoue.*) Ouvrirez-vous ? (*La porte s'ouvre brusquement, et il manque de tomber.*) Ha !

> *Un long silence.*

INÈS. — Eh bien, Garcin ? Allez-vous-en.

GARCIN, *lentement.* — Je me demande pourquoi cette porte s'est ouverte.

INÈS. — Qu'est-ce que vous attendez ? Allez, allez vite !

GARCIN. — Je ne m'en irai pas.

INÈS. — Et toi, Estelle ? (*Estelle ne bouge pas ; Inès éclate de rire.*) Alors ? Lequel ? Lequel des trois ? La voie est libre, qui nous retient ? Ha ! c'est à mourir de rire! Nous sommes inséparables.

> *Estelle bondit sur elle par derrière.*

ESTELLE. — Inséparables ? Garcin ! Aide-moi, Aide-moi vite. Nous la traînerons dehors et nous fermerons la porte sur elle ; elle va voir.

INÈS, *se débattant.* — Estelle ! Estelle ! Je t'en supplie, garde-moi. Pas dans le couloir, ne me jette pas dans le couloir !

GARCIN. — Lâche-la.

ESTELLE. — Tu es fou, elle te hait.

GARCIN. — C'est à cause d'elle que je suis resté.
*Estelle lâche Inès et regarde Garcin
avec stupeur.*

INÈS. — A cause de moi ? (*Un temps.*) Bon,
eh bien, fermez la porte. Il fait dix fois plus
chaud depuis qu'elle est ouverte. (*Garcin va vers
la porte et la ferme.*) A cause de moi ?

GARCIN. — Oui. Tu sais ce que c'est qu'un
lâche, toi.

INÈS. — Oui, je le sais.

GARCIN. — Tu sais ce que c'est que le mal, la
honte, la peur. Il y a eu des jours où tu t'es vue
jusqu'au cœur — et ça te cassait bras et jambes.
Et le lendemain, tu ne savais plus que penser,
tu n'arrivais plus à déchiffrer la révélation de la
veille. Oui, tu connais le prix du mal. Et si tu
dis que je suis un lâche, c'est en connaissance de
cause, hein ?

INÈS. — Oui.

GARCIN. — C'est toi que je dois convaincre : tu
es de ma race. T'imaginais-tu que j'allais partir ?
Je ne pouvais pas te laisser ici, triomphante, avec
toutes ces pensées dans ta tête ; toutes ces pensées qui me concernent.

INÈS. — Tu veux vraiment me convaincre ?

GARCIN. — Je ne peux plus rien d'autre. Je ne
les entends plus, tu sais. C'est sans doute qu'ils
en ont fini avec moi. Fini : l'affaire est classée,
je ne suis plus rien sur terre, même plus un lâche.
Inès, nous voilà seuls : il n'y a plus que vous deux
pour penser à moi. Elle ne compte pas. Mais
toi, toi qui me hais, si tu me crois, tu me sauves.

INÈS. — Ce ne sera pas facile. Regarde-moi :
j'ai la tête dure.

GARCIN. — J'y mettrai le temps qu'il faudra.

INÈS. — Oh ! tu as tout le temps. *Tout* le temps.

GARCIN, *la prenant aux épaules.* — Écoute, chacun a son but, n'est-ce pas ? Moi, je me foutais de l'argent, de l'amour. Je voulais être un homme. Un dur. J'ai tout misé sur le même cheval. Est-ce que c'est possible qu'on soit un lâche quand on a choisi les chemins les plus dangereux ? Peut-on juger une vie sur un seul acte ?

INÈS. — Pourquoi pas ? Tu as rêvé trente ans que tu avais du cœur ; et tu te passais mille petites faiblesses parce que tout est permis aux héros. Comme c'était commode ! Et puis, à l'heure du danger, on t'a mis au pied du mur et... tu as pris le train pour Mexico.

GARCIN. — Je n'ai pas rêvé cet héroïsme. Je l'ai choisi. On est ce qu'on veut.

INÈS. — Prouve-le. Prouve que ce n'était pas un rêve. Seuls les actes décident de ce qu'on a voulu.

GARCIN. — Je suis mort trop tôt. On ne m'a pas laissé le temps de faire *mes* actes.

INÈS. — On meurt toujours trop tôt — ou trop tard. Et cependant la vie est là, terminée ; le trait est tiré, il faut faire la somme. Tu n'es rien d'autre que ta vie.

GARCIN. — Vipère ! Tu as réponse à tout.

INÈS. — Allons ! allons ! Ne perds pas courage. Il doit t'être facile de me persuader. Cherche des arguments, fais un effort. (*Garcin hausse les épaules.*) Eh bien, eh bien ? Je t'avais dit que tu étais vulnérable. Ah ! comme tu vas payer à pré-

sent. Tu es un lâche, Garcin, un lâche parce que
je le veux. Je le veux, tu entends, je le veux ! Et
pourtant, vois comme je suis faible, un souffle ;
je ne suis rien que le regard qui te voit, que cette
pensée incolore qui te pense. (*Il marche sur elle,
les mains ouvertes.*) Ha ! elles s'ouvrent, ces
grosses mains d'homme. Mais qu'espères-tu ? On
n'attrape pas les pensées avec les mains. Allons,
tu n'as pas le choix : il faut me convaincre. Je
te tiens.

Estelle. — Garcin !

Garcin. — Quoi ?

Estelle. — Venge-toi.

Garcin. — Comment ?

Estelle. — Embrasse-moi, tu l'entendras chanter.

Garcin. — C'est pourtant vrai, Inès. Tu me
tiens, mais je te tiens aussi.

> *Il se penche sur Estelle. Inès pousse
> un cri.*

Inès. — Ha ! lâche ! lâche ! Va ! Va te faire
consoler par les femmes.

Estelle. — Chante, Inès, chante !

Inès. — Le beau couple ! Si tu voyais sa grosse
patte posée à plat sur ton dos, froissant la chair
et l'étoffe. Il a les mains moites ; il transpire. Il
laissera une marque bleue sur ta robe.

Estelle. — Chante ! Chante ! Serre-moi plus
fort contre toi, Garcin ; elle en crèvera.

Inès. — Mais oui, serre-la bien fort, serre-la !
Mêlez vos chaleurs. C'est bon l'amour, hein Garcin ? C'est tiède et profond comme le sommeil,
mais je t'empêcherai de dormir.

> *Geste de Garcin.*

ESTELLE. — Ne l'écoute pas. Prends ma bouche ; je suis à toi tout entière.

INÈS. — Eh bien, qu'attends-tu ? Fais ce qu'on te dit. Garcin le lâche tient dans ses bras Estelle l'infanticide. Les paris sont ouverts. Garcin le lâche l'embrassera-t-il ? Je vous vois, je vous vois ; à moi seule je suis une foule, la foule, Garcin, la foule, l'entends-tu ? (*Murmurant.*) Lâche ! Lâche ! Lâche ! Lâche ! En vain tu me fuis, je ne te lâcherai pas. Que vas-tu chercher sur ses lèvres ? L'oubli ? Mais je ne t'oublierai pas, moi. C'est moi qu'il faut convaincre. Moi. Viens, viens ! Je t'attends. Tu vois, Estelle, il desserre son étreinte, il est docile comme un chien... Tu ne l'auras pas !

GARCIN. — Il ne fera donc jamais nuit ?

INÈS. — Jamais.

GARCIN. — Tu me verras toujours ?

INÈS. — Toujours.

Garcin abandonne Estelle et fait quelques pas dans la pièce. Il s'approche du bronze.

GARCIN. — Le bronze... (*Il le caresse.*) Eh bien, voici le moment. Le bronze est là, je le contemple et je comprends que je suis en enfer. Je vous dis que tout était prévu. Ils avaient prévu que je me tiendrais devant cette cheminée, pressant ma main sur ce bronze, avec tous ces regards sur moi. Tous ces regards qui me mangent... (*Il se retourne brusquement.*) Ha ! vous n'êtes que deux ? Je vous croyais beaucoup plus nombreuses. (*Il rit.*) Alors, c'est ça l'enfer. Je n'aurais jamais cru... Vous vous rappelez : le soufre, le bûcher, le gril... Ah ! quelle plaisanterie. Pas besoin de gril : l'enfer, c'est les Autres.

ESTELLE. — Mon amour !

GARCIN, *la repoussant.* — Laisse-moi. Elle est entre nous. Je ne peux pas t'aimer quand elle me voit.

ESTELLE. — Ha ! Eh bien, elle ne nous verra plus.

> *Elle prend le coupe-papier sur la table, se précipite sur Inès et lui porte plusieurs coups.*

INÈS, *se débattant et riant.* — Qu'est-ce que tu fais, qu'est-ce que tu fais, tu es folle ? Tu sais bien que je suis morte.

ESTELLE. — Morte ?

> *Elle laisse tomber le couteau. Un temps. Inès ramasse le couteau et s'en frappe avec rage.*

INÈS. — Morte ! Morte ! Morte ! Ni le couteau, ni le poison, ni la corde. C'est *déjà fait,* comprends-tu ? Et nous sommes ensemble pour toujours.

> *Elle rit.*

ESTELLE, *éclatant de rire.* — Pour toujours, mon Dieu que c'est drôle ! Pour toujours !

GARCIN *rit en les regardant toutes deux.* — Pour toujours !

> *Ils tombent assis, chacun sur son canapé. Un long silence. Ils cessent de rire et se regardent. Garcin se lève.*

GARCIN. — Eh bien, continuons.

Rideau.

MORTS SANS SÉPULTURE

Quatre tableaux

MORTS SANS SÉPULTURE

a été présenté pour la première fois au Théâtre Antoine (Direction Simone Berriau) le 8 novembre 1946.

★

DISTRIBUTION
par ordre d'entrée en scène.

FRANÇOIS	Serge Andreguy.
SORBIER	R.-J. Chauffard.
CANORIS	François Vibert.
LUCIE	Marie Olivier.
HENRI	Michel Vitold.
1ᵉʳ MILICIEN	Claude Régy.
JEAN	Alain Cuny.
CLOCHET	Robert Moor.
LANDRIEU	Yves Vincent.
PELLERIN	Roland Bailly.
CORBIER	Maïk.
2ᵉ MILICIEN	Michel Jourdan.

★

Décor.

1ᵉʳ *tableau — Un grenier et tous les objets hétéroclites qu'il peut comporter : voiture d'enfant, vieille malle, etc..., et un mannequin de couturière.*

2ᵉ — — *Une salle de classe, avec, accroché au mur, un portrait de Pétain.*

3ᵉ — — *Le grenier du 1ᵉʳ.*

4ᵉ — — *La salle de classe du 2ᵉ.*

Costumes de maquisards et de miliciens.

PREMIER TABLEAU

*Un grenier éclairé par une lucarne. Pêle-mêle
d'objets hétéroclites : des malles ; un vieux fourneau, un mannequin de couturière. Canoris et
Sorbier sont assis, l'un sur une malle, l'autre sur
un vieil escabeau, Lucie sur le fourneau. Ils ont
les menottes. François marche de long en large.
Il a aussi les menottes. Henri dort, couché par
terre.*

SCÈNE PREMIÈRE

CANORIS, SORBIER, FRANÇOIS,
LUCIE, HENRI

FRANÇOIS. — Allez-vous parler, à la fin ?

SORBIER, *levant la tête.* — Qu'est-ce que tu
veux qu'on dise ?

FRANÇOIS. — N'importe quoi, pourvu que ça
fasse du bruit.

> *Une musique vulgaire et criarde éclate
> soudain. C'est la radio de l'étage en des-
> sous.*

SORBIER. — Voilà du bruit.

FRANÇOIS. — Pas celui-là : c'est *leur* bruit. (*Il reprend sa marche et s'arrête brusquement.*) Ha !

SORBIER. — Quoi encore ?

FRANÇOIS. — Ils m'entendent, ils se disent : Voilà le premier d'entre eux qui s'énerve.

CANORIS. — Eh bien, ne t'énerve pas. Assieds-toi. Mets les mains sur les genoux, tes poignets te feront moins mal. Et puis tais-toi. Essaye de dormir ou réfléchis.

FRANÇOIS. — A quoi bon ?

> *Canoris hausse les épaules. François reprend sa marche.*

SORBIER. — François !

FRANÇOIS. — Eh ?

SORBIER. — Tes souliers craquent.

FRANÇOIS. — Je les fais craquer exprès. (*Un temps. Il vient se planter devant Sorbier.*) Mais à quoi pouvez-vous penser ?

SORBIER, *relevant la tête*. — Tu veux que je te le dise ?

FRANÇOIS *le regarde et recule un peu*. — Non. Ne le dis pas.

SORBIER. — Je pense à la petite qui criait.

LUCIE, *sortant brusquement de son rêve*. — Quelle petite ?

SORBIER. — La petite de la ferme. Je l'ai entendue crier, pendant qu'ils nous emmenaient. Le feu était déjà dans l'escalier.

LUCIE. — La petite de la ferme ? Il ne fallait pas nous le dire.

SORBIER. — Il y en a beaucoup d'autres qui sont morts. Des enfants et des femmes. Mais je ne les ai pas entendus mourir. La petite, c'est comme si elle criait encore. Je ne pouvais pas garder ses cris pour moi tout seul.

Lucie. — Elle avait treize ans. C'est à cause de nous qu'elle est morte.

Sorbier. — C'est à cause de nous qu'ils sont tous morts.

Canoris, *à François*. — Tu vois qu'il valait mieux ne pas parler.

François. — Eh bien quoi ? Nous n'allons pas faire long feu non plus. Tout à l'heure tu trouveras peut-être qu'ils ont de la veine.

Sorbier. — Ils n'avaient pas accepté de mourir.

François. — Est-ce que j'avais accepté ? Ce n'est pas notre faute si l'affaire est manquée.

Sorbier. — Si. C'est notre faute.

François. — Nous avons obéi aux ordres.

Sorbier. — Oui.

François. — Ils nous ont dit : « Montez là-haut et prenez le village. » Nous leur avons dit : « C'est idiot, les Allemands seront prévenus dans les vingt-quatre heures. » Ils nous ont répondu : « Montez tout de même et prenez-le. » Alors nous avons dit « Bon ». Et nous sommes montés. Où est la faute ?

Sorbier. — Il fallait réussir.

François. — Nous ne pouvions pas réussir.

Sorbier. — Je sais. Il fallait réussir tout de même. (*Un temps.*) Trois cents. Trois cents qui n'avaient pas accepté de mourir et qui sont morts pour rien. Ils sont couchés entre les pierres, et le soleil les noircit ; on doit les voir de toutes les fenêtres. A cause de nous. A cause de nous, dans ce village il n'y a plus que des miliciens, des morts et des pierres. Ce sera dur de crever avec ces cris dans les oreilles.

FRANÇOIS, *criant*. — Laisse-nous tranquilles avec tes morts. Je suis le plus jeune : je n'ai fait qu'obéir. Je suis innocent ! Innocent ! Innocent !

LUCIE, *doucement. D'un bout à l'autre de la scène précédente, elle a conservé son calme.* — François !

FRANÇOIS, *déconcerté, d'une voix molle*. — Quoi ?

LUCIE. — Viens t'asseoir près de moi, mon petit frère. (*Il hésite. Elle répète plus doucement encore.*) Viens ! (*Il s'assied. Elle lui passe maladroitement ses mains enchaînées sur le visage.*) Comme tu as chaud ! Où est ton mouchoir ?

FRANÇOIS. — Dans ma poche. Je ne peux pas l'attraper.

LUCIE. — Dans cette poche-ci ?

FRANÇOIS. — Oui.

> *Lucie plonge une main dans la poche du veston, en retire péniblement un mouchoir et lui essuie le visage.*

LUCIE. — Tu es en nage et tu trembles : il ne faut pas marcher si longtemps.

FRANÇOIS. — Si je pouvais ôter ma veste...

LUCIE. — N'y pense pas puisque c'est impossible. (*Il tire sur ses menottes.*) Non, n'espère pas les rompre. L'espoir fait mal. Tiens-toi tranquille, respire doucement, fais le mort ; je suis morte et calme, je m'économise.

FRANÇOIS. — Pour quoi faire ? Pour pouvoir crier plus fort tout à l'heure. Quelles économies

de bouts de chandelles. Il reste si peu de temps ;
je voudrais être partout à la fois.

Il veut se lever.

Lucie. — Reste là.

François. — Il faut que je tourne en rond. Dès
que je m'arrête, c'est ma pensée qui se met à
tourner. Je ne veux pas penser.

Lucie. — Pauvre petit.

François, *il se laisse glisser aux genoux de
Lucie.* — Lucie, tout est si dur. Je ne peux pas
regarder vos visages : ils me font peur.

Lucie. — Mets ta tête sur mes genoux. Oui,
tout est si dur et toi tu es si petit. Si quelqu'un
pouvait encore te sourire, en disant : mon pauvre
petit. Autrefois je prenais tes chagrins en charge.
Mon pauvre petit... mon pauvre petit... (*Elle se
redresse brusquement.*) Je ne peux plus. L'angoisse m'a séchée. Je ne peux plus pleurer.

François. — Ne me laisse pas seul. Il me vient
des idées dont j'ai honte.

Lucie. — Écoute. Il y a *quelqu'un* qui peut
t'aider... Je ne suis pas tout à fait seule... (*Un
temps.*) Jean est avec moi, si tu pouvais...

François. — Jean ?

Lucie. — Ils ne l'ont pas pris. Il descend vers
Grenoble. C'est le seul de nous qui vivra demain.

François. — Après ?

Lucie. — Il ira trouver les autres, ils recommenceront le travail ailleurs. Et puis la guerre
finira, ils vivront à Paris, tranquillement, avec de
vraies photos sur de vraies cartes et les gens les
appelleront par leurs vrais noms.

François. — Eh bien ? Il a eu de la veine.
Qu'est-ce que cela peut me faire ?

LUCIE. — Il descend à travers la forêt. Il y a des peupliers, en bas, le long de la route. Il pense à moi. Il n'y a plus que lui au monde pour penser à moi avec cette douceur. A toi aussi, il pense. Il pense que tu es un pauvre petit. Essaie de te voir avec ses yeux. Il peut pleurer.

Elle pleure.

FRANÇOIS. — Toi aussi tu peux pleurer.

LUCIE. — Je pleure avec ses larmes.

Un temps. François se lève brusquement.

FRANÇOIS. — Assez joué. Je finirais par le haïr.

LUCIE. — Tu l'aimais pourtant.

FRANÇOIS. — Pas comme tu l'aimais.

LUCIE. — Non. Pas comme je l'aimais.

Des pas dans le couloir. La porte s'ouvre. Lucie se lève brusquement. Le milicien les regarde, puis il referme la porte.

SORBIER, *haussant les épaules.* — Ils s'amusent. Pourquoi t'es-tu levée ?

LUCIE, *se rasseyant.* — Je croyais qu'ils venaient nous chercher.

CANORIS. — Ils ne viendront pas de sitôt.

LUCIE. — Pourquoi pas ?

CANORIS. — Ils commettent une erreur : ils croient que l'attente démoralise.

SORBIER. — Est-ce une erreur ? Ce n'est pas drôle d'attendre quand on se fait des idées.

CANORIS. — Bien sûr. Mais d'un autre côté tu as le temps de te reprendre. Moi, la première fois, c'était en Grèce, sous Metaxas. Ils sont venus m'arrêter à quatre heures du matin. S'ils m'avaient un peu poussé, j'aurais parlé. Par étonnement. Ils ne m'ont rien demandé. Dix jours après, ils ont employé les grands moyens, mais c'était trop tard : ils avaient manqué l'effet de surprise.

SORBIER. — Ils t'ont cogné dessus ?

CANORIS. — Dame !

SORBIER. — A coups de poings ?

CANORIS. — A coups de poings, à coups de pieds.

SORBIER. — Tu... avais envie de parler ?

CANORIS. — Non. Tant qu'ils cognent ça peut aller.

SORBIER. — Ah ?... Ah, ça peut aller... (*Un temps.*) Mais quand ils tapent sur les tibias ou sur les coudes ?

CANORIS. — Non, non. Ça peut aller. (*Doucement.*) Sorbier.

SORBIER. — Quoi ?

CANORIS. — Il ne faut pas avoir peur d'eux. Ils n'ont pas d'imagination.

SORBIER. — C'est de moi que j'ai peur.

CANORIS. — Mais pourquoi ? Nous n'avons rien à dire. Tout ce que nous savons, ils le savent. Écoutez ! (*Un temps.*) Ce n'est pas du tout comme on se le figure.

FRANÇOIS. — Comment est-ce ?

CANORIS. — Je ne pourrais pas te le dire. Tiens, par exemple, le temps m'a paru court. (*Il rit.*) J'avais les dents si serrées que je suis resté trois heures sans pouvoir ouvrir la bouche. C'était à Nauplie. Il y avait un type qui portait des bottines à l'ancienne. Pointues du bout. Il me les envoyait dans la figure. Des femmes chantaient sous la fenêtre : j'ai retenu le chant.

SORBIER. — A Nauplie ? En quelle année ?

CANORIS. — En 36.

SORBIER. — Eh bien, j'y suis passé. J'étais venu en Grèce sur le *Théophile-Gautier*. Je faisais du camping. J'ai vu la prison ; il y a des figuiers de Barbarie contre les murs. Alors tu était là-dedans et moi j'étais dehors ? (*Il rit.*) C'est marrant.

CANORIS. — C'est marrant.

SORBIER, *brusquement*. — Et s'ils te fignolent ?

CANORIS. — Hé ?

SORBIER. — S'ils te fignolent avec leurs appareils ? (*Canoris hausse les épaules.*) Je me figure que je me défendrais par la modestie. A chaque minute je me dirais : je tiens le coup encore une minute. Est-ce que c'est une bonne méthode ?

CANORIS. — Il n'y a pas de méthode.

SORBIER. — Mais comment ferais-tu, toi ?

LUCIE. — Vous ne pourriez pas vous taire ? Regardez le petit : est-ce que vous croyez que vous lui donnez du courage ? Attendez donc un peu, ils se chargeront de vous renseigner.

SORBIER. — Lâche-nous ! Qu'il se bouche les oreilles, s'il ne veut pas entendre.

LUCIE. — Et moi, faut-il aussi que je me bouche les oreilles ? Je n'aime pas vous entendre parce que j'ai peur de vous mépriser. Avez-vous besoin de tous ces mots pour vous donner du courage ? J'ai vu mourir des bêtes et je voudrais mourir comme elles : en silence !

SORBIER. — Qui t'a parlé de mourir ? On cause sur ce qu'ils vont nous faire avant. Il faut bien qu'on s'y prépare.

LUCIE. — Je ne veux pas m'y préparer. Pour-

quoi vivrais-je deux fois ces heures qui vont
venir ? Regardez Henri : il dort. Pourquoi ne pas
dormir ?

SORBIER. — Dormir ? Et ils viendront me réveil-
ler en me secouant ? Je ne veux pas. Je n'ai pas
de temps à perdre.

LUCIE. — Alors pense à ce que tu aimes. Moi,
je pense à Jean, à ma vie, au petit, quand il était
malade et que je le soignais dans un hôtel d'Ar-
cachon. Il y avait des pins et de grandes vagues
vertes que je voyais de ma fenêtre.

SORBIER, *ironiquement*. — Des vagues vertes,
vraiment ? Je te dis que je n'ai pas de temps à
perdre.

LUCIE. — Sorbier, je ne te reconnais pas.

SORBIER, *confus*. — Ça va ! Ce sont les nerfs :
j'ai des nerfs de pucelle. (*Il se lève et va vers
elle.*) Chacun se défend à sa manière. Moi, je ne
vaux rien quand on me prend au dépourvu. Si je
pouvais ressentir la douleur par avance — juste
un petit peu, pour la reconnaître au passage — je
serais plus sûr de moi. Ce n'est pas ma faute ;
j'ai toujours été minutieux. (*Un temps.*) Je t'aime
bien, tu sais. Mais je me sens seul. (*Un temps.*)
Si tu veux que je me taise...

FRANÇOIS. — Laisse-les parler. Ce qui compte,
c'est le bruit qu'ils font.

LUCIE. — Faites ce que vous voudrez.

Un silence.

SORBIER, *à voix plus basse*. — Hé, Canoris !
(*Canoris lève la tête.*) Tu en as rencontré, toi, des
gens qui avaient mangé le morceau ?

CANORIS. — Oui, j'en ai rencontré.

SORBIER. — Alors ?

CANORIS. — Qu'est-ce que ça peut te faire puisque nous n'avons rien à dire.

SORBIER. — Je veux savoir. Est-ce qu'ils se supportaient ?

CANORIS. — Ça dépend. Il y en a un qui s'est tiré dans la figure avec un fusil de chasse : il n'a réussi qu'à s'aveugler. Je le rencontrais quelquefois dans les rues du Pirée, conduit par une Arménienne. Il pensait qu'il avait payé. Chacun décide s'il a payé ou non. Nous en avons descendu un autre dans une foire, au moment où il s'achetait des loukoums. Depuis qu'il était sorti de prison il s'était mis à aimer les loukoums, parce que c'était sucré.

SORBIER. — Le veinard.

CANORIS. — Hum !

SORBIER. — Si je lâchais le paquet, ça m'étonnerait que je me console avec du sucre.

CANORIS. — On dit ça. On ne peut pas savoir avant d'y avoir passé.

SORBIER. — De toute façon je ne crois pas que je m'aimerais beaucoup après. Je pense que j'irais décrocher le fusil de chasse.

FRANÇOIS. — Moi, je préfère les loukoums.

SORBIER. — François !

FRANÇOIS. — Quoi, François ? Est-ce que vous m'avez prévenu quand je suis venu vous trouver ? Vous m'avez dit : la Résistance a besoin d'hommes, vous ne m'avez pas dit qu'elle avait besoin de héros. Je ne suis pas un héros, moi, je ne suis pas un héros ! Je ne suis pas un héros ! J'ai fait ce qu'on m'a dit : j'ai distribué des tracts et transporté des armes, et vous disiez que

j'étais toujours de bonne humeur. Mais personne
ne m'a renseigné sur ce qui m'attendait au bout.
Je vous jure que je n'ai jamais su à quoi je m'en-
gageais.

Sorbier. — Tu le savais. Tu savais que René
avait été torturé.

François. — Je n'y pensais jamais. (*Un temps.*)
La petite qui est morte, vous la plaigniez, vous
dites : c'est à cause de nous qu'elle est morte.
Et moi, si je parlais, quand ils me brûleront avec
leurs cigares, vous diriez : c'est un lâche et vous
me tendriez un fusil de chasse, à moins que vous
ne me tiriez dans le dos. Pourtant, je n'ai que
deux ans de plus qu'elle.

Sorbier. — Je parlais pour moi.

Canoris, *s'approchant de François*. — Tu n'as
plus aucun devoir, François. Ni devoir ni consigne. Nous ne savons rien, nous n'avons rien à
taire. Que chacun se débrouille pour ne pas trop
souffrir. Les moyens n'ont pas d'importance.

> *François se calme peu à peu mais il*
> *reste prostré. Lucie le serre contre elle.*

Sorbier. — Les moyens n'ont pas d'importance... Évidemment. Crie, pleure, supplie, de-
mande-leur pardon, fouille dans ta mémoire pour
trouver quelque chose à leur avouer, quelqu'un à
leur livrer : qu'est-ce que ça peut faire : il n'y a
pas d'enjeu ; tu ne trouveras rien à dire, toutes
les petites saletés demeureront strictement confi-
dentielles. Peut-être que c'est mieux ainsi. (*Un
temps.*) Je n'en suis pas sûr.

Canoris. — Qu'est-ce que tu voudrais ? Savoir
un nom ou une date, pour pouvoir les leur refuser ?

SORBIER. — Je ne sais pas. Je ne sais même
pas si je pourrais me taire.

CANORIS. — Alors ?

SORBIER. — Je voudrais me connaître. Je savais
qu'ils finiraient par me prendre et que je serais,
un jour, au pied du mur, en face de moi, sans
recours. Je me disais : tiendras-tu le coup ? C'est
mon corps qui m'inquiète, comprends-tu ? J'ai un
sale corps mal foutu avec des nerfs de femme.
Eh bien, le moment est venu, ils vont me travailler avec leurs instruments. Mais je suis volé :
je vais souffrir pour rien, je mourrai sans savoir
ce que je vaux.

> *La musique s'arrête. Ils sursautent et
> prêtent l'oreille.*

HENRI, *se réveillant brusquement.* — Qu'est-ce
que c'est ? (*Un temps.*) La polka est finie, c'est
à nous de danser, j'imagine. (*La musique reprend.*) Fausse alerte. C'est curieux qu'ils aiment
tant la musique. (*Il se lève.*) Je rêvais que je dan-
sais, à Schéhérazade. Vous savez, Schéhérazade,
à Paris. Je n'y ai jamais été. (*Il se réveille lentement.*) Ah, vous voilà... vous voilà... Tu veux
danser, Lucie ?

LUCIE. — Non.

HENRI. — Est-ce que les poignets vous font mal
à vous aussi ? La chair a dû gonfler pendant que
je dormais. Quelle heure est-il ?

CANORIS. — Trois heures.

LUCIE. — Cinq heures.

SORBIER. — Six heures.

CANORIS. — Nous ne savons pas.

HENRI. — Tu avais une montre.

CANORIS. — Ils l'ont cassée sur mon poignet.

Ce qui est sûr, c'est que tu as dormi longtemps.

HENRI. — C'est du temps qu'on m'a volé. (*A Canoris.*) Aide-moi. (*Canoris lui fait la courte échelle ; Henri se hisse jusqu'à la lucarne.*) Il est cinq heures au soleil ; c'est Lucie qui avait raison. (*Il redescend.*) La mairie brûle encore. Alors tu ne veux pas danser ? (*Un temps.*) Je hais cette musique.

CANORIS, *avec indifférence.* — Bah !

HENRI. — On doit l'entendre de la ferme.

CANORIS. — Il n'y a plus personne pour l'entendre.

HENRI. — Je sais. Elle entre par la fenêtre, elle tourne au-dessus des cadavres. La musique, le soleil : tableau. Et les corps sont tout noirs. Ah ! nous avons bien manqué notre coup. (*Un temps.*) Qu'est-ce qu'il a, le petit ?

LUCIE. — Il n'est pas bien. Voilà huit jours qu'il n'a pas fermé l'œil. Comment as-tu fait pour dormir ?

HENRI. — C'est venu de soi-même. Je me suis senti si seul que ça m'a donné sommeil. (*Il rit.*) Nous sommes oubliés de la terre entière. (*S'approchant de François.*) Pauvre môme... (*Il lui caresse les cheveux puis s'arrête brusquement. A Canoris.*) Où est notre faute ?

CANORIS. — Je ne sais pas. Qu'est-ce que cela peut faire ?

HENRI. — Il y a eu faute : je me sens coupable.

SORBIER. — Toi aussi ? Ah ! je suis bien content : je me croyais seul.

CANORIS. — Oh ! bon : moi aussi, je me sens coupable. Et qu'est-ce que cela change ?

HENRI. — Je n'aurais pas voulu mourir en faute.

CANORIS. — Ne te casse donc pas la tête : je suis sûr que les copains ne nous reprocheront rien.

HENRI. — Je me fous des copains. C'est à moi seul que je dois des comptes à présent.

CANORIS, *choqué, sèchement.* — Alors ? C'est un confesseur que tu veux ?

HENRI. — Au diable, le confesseur. C'est à moi seul que je dois des comptes à présent. (*Un temps, comme à lui-même.*) Les choses n'auraient pas dû tourner de cette manière. Si je pouvais trouver cette faute...

CANORIS. — Tu serais bien avancé.

HENRI. — Je pourrais la regarder en face et me dire : voilà pourquoi je meurs. Bon Dieu ! un homme ne peut pas crever comme un rat, pour rien et sans faire ouf.

CANORIS, *haussant les épaules.* — Bah !

SORBIER. — Pourquoi hausses-tu les épaules ? Il a le droit de sauver sa mort, c'est tout ce qui lui reste.

CANORIS. — Bien sûr. Qu'il la sauve, s'il peut.

HENRI. — Merci de la permission. (*Un temps.*) Tu ferais aussi bien de t'occuper de sauver la tienne : nous n'avons pas trop de temps.

CANORIS. — La mienne ? Pourquoi ? A qui cela servirait-il ? C'est une affaire strictement personnelle.

HENRI. — Strictement personnelle. Oui. Après ?

CANORIS. — Je n'ai jamais pu me passionner pour les affaires personnelles. Ni pour celles des autres ni pour les miennes.

HENRI, *sans l'écouter.* — Si seulement je pou-

vais me dire que j'ai fait ce que j'ai pu. Mais
c'est sans doute trop demander. Pendant trente
ans, je me suis senti coupable. Coupable parce
que je vivais. A présent, il y a les maisons qui
brûlent par ma faute, il y a ces morts innocents
et je vais mourir coupable. Ma vie n'a été qu'une
erreur.

Canoris se lève et va vers lui.

CANORIS. — Tu n'es pas modeste, Henri.

HENRI. — Quoi ?

CANORIS. — Tu te fais du mal parce que tu n'es
pas modeste. Moi, je crois qu'il y a beau temps
que nous sommes morts : au moment précis où
nous avons cessé d'être utiles. A présent il nous
reste un petit morceau de vie posthume, quelques
heures à tuer. Tu n'as plus rien à faire qu'à tuer
le temps et à bavarder avec tes voisins. Laisse-toi
aller, Henri, repose-toi. Tu as le droit de te reposer puisque nous ne pouvons plus rien faire ici.
Repose-toi : nous ne comptons plus, nous sommes
des morts sans importance. (*Un temps.*) C'est la
première fois que je me reconnais le droit de me
reposer.

HENRI. — C'est la première fois depuis trois
ans que je me retrouve en face de moi-même. On
me donnait des ordres. J'obéissais. Je me sentais
justifié. A présent personne ne peut plus me donner d'ordres et rien ne peut plus me justifier. Un
petit morceau de vie en trop : oui. Juste le temps
qu'il faut pour m'occuper de moi. (*Un temps.*)
Canoris, pourquoi mourrons-nous ?

CANORIS. — Parce qu'on nous avait chargés
d'une mission dangereuse et que nous n'avons
pas eu de chance.

HENRI. — Oui : c'est ce que penseront les copains, c'est ce qu'on dira dans les discours officiels. Mais toi, qu'est-ce que tu en penses ?

CANORIS. — Je ne pense rien. Je vivais pour la cause et j'ai toujours prévu que j'aurais une mort comme celle-ci.

HENRI. — Tu vivais pour la cause, oui. Mais ne viens pas me dire que tu meurs pour elle. Peut-être, si nous avions réussi et si nous étions morts à l'ouvrage, peut-être alors... (*Un temps.*) Nous mourrons parce qu'on nous a donné des ordres idiots, parce que nous les avons mal exécutés et notre mort n'est utile à personne. La cause n'avait pas besoin qu'on attaque ce village. Elle n'en avait pas besoin parce que le projet était irréalisable. La cause ne donne jamais d'ordre, elle ne dit jamais rien ; c'est nous qui décidons de ses besoins. Ne parlons pas de la cause. Pas ici. Tant qu'on peut travailler pour elle, ça va. Après, il faut se taire et surtout ne pas s'en servir pour notre consolation personnelle. Elle nous a rejetés parce que nous sommes inutilisables : elle en trouvera d'autres pour la servir : à Tours, à Lille, à Carcassonne, des femmes sont en train de faire les enfants qui nous remplaceront. Nous avons essayé de justifier notre vie et nous avons manqué notre coup. A présent nous allons mourir et nous ferons des morts injustifiables.

CANORIS, *avec indifférence.* — Si tu veux. Rien de ce qui se passe entre ces quatre murs n'a d'importance. Espère ou désespère : il n'en sortira rien.

Un temps.

HENRI. — Si seulement il nous restait quelque
chose à entreprendre. N'importe quoi. Ou quelque
chose à leur cacher... Bah ! (*Un temps.*) (*A Canoris.*) Tu as une femme, toi ?

CANORIS. — Oui. En Grèce.

HENRI. — Tu peux penser à elle ?

CANORIS. — J'essaie. C'est loin.

HENRI, *à Sorbier.* — Et toi ?

SORBIER. — J'ai mes vieux. Ils me croient en
Angleterre. Je suppose qu'ils se mettent à table :
ils dînent tôt. Si je pouvais me dire qu'ils vont
sentir, tout d'un coup, un petit pincement au
cœur, quelque chose comme un pressentiment...
Mais je suis sûr qu'ils sont tout à fait tranquilles.
Ils vont m'attendre pendant des années, de plus
en plus tranquillement, et je mourrai dans leur
cœur sans qu'ils s'en aperçoivent. Mon père doit
parler du jardin. Il parlait toujours du jardin, à
dîner. Tout à l'heure il ira arroser ses choux. —
(*Il soupire.*) Pauvres vieux ! Pourquoi penserais-je
à eux ? Ça n'aide pas.

HENRI. — Non. Ça n'aide pas. (*Un temps.*)
Tout de même, je préférerais que mes vieux
vivent encore. Je n'ai personne.

SORBIER. — Personne au monde ?

HENRI. — Personne.

LUCIE, *vivement.* — Tu es injuste. Tu as Jean.
Nous avons tous Jean. C'était notre chef et il
pense à nous.

HENRI. — Il pense à toi parce qu'il t'aime.

LUCIE. — A *nous tous.*

HENRI, *doucement.* — Lucie ! Est-ce que nous
parlions beaucoup de nos morts ? Nous n'avions

pas le temps de les enterrer, même dans nos
cœurs. (*Un temps.*) Non. Je ne manque nulle
part, je ne laisse pas de vide. Les métros sont
bondés, les restaurants combles, les têtes bour-
rées à craquer de petits soucis. J'ai glissé hors
du monde et il est resté plein. Comme un œuf.
Il faut croire que je n'étais pas indispensable.
(*Un temps.*) J'aurais voulu être indispensable. A
quelque chose ou à quelqu'un. (*Un temps.*) A
propos, Lucie, je t'aimais. Je te le dis à présent
parce que ça n'a plus d'importance.

Lucie. — Non. Ça n'a plus d'importance.

Henri. — Et voilà. (*Il rit.*) C'était vraiment
tout à fait inutile que je naisse.

> *La porte s'ouvre. Des miliciens entrent.*

Sorbier. — Bonjour. (*A Henri.*) Ils nous ont
fait le coup trois fois pendant que tu dormais.

Le milicien. — C'est toi qui te fais appeler
Sorbier ?

> *Un silence.*

Sorbier. — C'est moi.

Le milicien. — Suis-nous.

> *Nouveau silence.*

Sorbier. — Après tout, j'aime autant qu'ils
commencent par moi. (*Un temps. Il marche vers
la porte.*) Je me demande si je vais me connaître.
(*Au moment de sortir.*) C'est l'heure où mon père
arrose ses choux.

SCÈNE II

LES MÊMES, moins SORBIER

>   *Encore un long silence.*

HENRI, *à Canoris*. — Donne-moi une cigarette.

CANORIS. — Ils me les ont prises.

HENRI. — Tant pis.

>   *La musique joue une java.*

HENRI. — Eh bien, dansons, puisqu'ils veulent qu'on danse. Lucie ?

LUCIE. — Je t'ai dit que non.

HENRI. — Comme tu veux. Les danseuses ne manquent pas.

> *Il s'approche du mannequin, lève ses mains enchaînées et les fait glisser le long des épaules et des flancs du manne- quin. Puis il se met à danser en le tenant serré contre lui. La musique cesse. Henri s'arrête, repose le mannequin et relève lentement les bras pour se dégager.*

Ils ont commencé.

>   *Ils écoutent.*

CANORIS. — Tu entends quelque chose ?

HENRI. — Rien.

FRANÇOIS. — Qu'est-ce que tu crois qu'ils lui font ?

CANORIS. — Je ne sais pas. (*Un temps.*) Je vou- drais qu'il tienne le coup. Sinon, il va se faire beaucoup plus de mal qu'ils ne lui en feront.

HENRI. — Il tiendra forcément le coup.

CANORIS. — Je veux dire : de l'intérieur. C'est plus difficile quand on n'a rien à dire.

Un temps.

HENRI. — Il ne crie pas, c'est déjà ça.

FRANÇOIS. — Peut-être qu'ils l'interrogent, tout simplement.

CANORIS. — Penses-tu !

Sorbier hurle. Ils sursautent.

LUCIE, *voix rapide et trop naturelle.* — A présent Jean doit être arrivé à Grenoble. Je serais étonnée qu'il ait mis plus de quinze heures. Il doit se sentir drôle : la ville est calme, il y a des gens aux terrasses des cafés et le Vercors n'est plus qu'un songe. (*La voix de Sorbier enfle. Celle de Lucie monte.*) Il pense à nous, il entend la radio par les fenêtres ouvertes, le soleil brille sur les montagnes, c'est une belle après-midi d'été. (*Cris plus forts.*) Ha ! (*Elle se laisse tomber sur une malle et sanglote en répétant :*) Une belle après-midi d'été.

HENRI, *à Canoris.* — Je ne crierai pas.

CANORIS. — Tu auras tort. Ça soulage.

HENRI. — Je ne pourrais pas supporter l'idée que vous m'entendez et qu'elle pleure au-dessus de ma tête.

François se met à trembler.

FRANÇOIS, *au bord de la crise.* — Je ne crois pas... je ne crois pas...

Pas dans le couloir.

CANORIS. — Tais-toi, petit, les voilà.

HENRI. — A qui le tour ?

CANORIS. — A toi ou à moi. Ils garderont la fille et le môme pour la fin. (*La clé tourne dans la serrure.*) Je voudrais que ce fût à moi. Je n'aime pas les cris des autres.

La porte s'ouvre, on pousse Jean dans la pièce. Il n'a pas de menottes.

SCÈNE III

LES MÊMES, plus JEAN

Il cligne des yeux en entrant pour s'accommoder à la pénombre. Tous se sont tournés vers lui. Le milicien sort en fermant la porte derrière lui.

Lucie. — Jean !

Jean. — Tais-toi. Ne prononce pas mon nom. Viens là contre le mur : ils nous regardent peut-être par une fente de la porte. (*Il la regarde.*) Te voilà ! Te voilà ! Je pensais ne jamais te revoir. Qui est là ?

Canoris. — Canoris.

Henri. — Henri.

Jean. — Je vous distingue mal. Pierre et Jacques sont... ?

Henri. — Oui.

Jean. — Le môme est là aussi ? Pauvre gosse. (*D'une voix basse et rapide.*) J'espérais que vous étiez morts.

Henri, *riant*. — Nous avons fait de notre mieux.

Jean. — Je m'en doute. (*A Lucie.*) Qu'as-tu ?

Lucie. — Oh ! Jean, tout est fini. Je me disais :

il est à Grenoble, il marche dans les rues, il regarde les montagnes... Et... et... à présent tout est fini.

JEAN. — Ne chiale pas. J'ai toutes les chances de m'en sortir.

HENRI. — Comment est-ce qu'ils t'ont eu ?

JEAN. — Ils ne m'ont pas encore. Je suis tombé sur une de leurs patrouilles tout en bas, sur la route de Verdone. J'ai dit que j'étais de Cimiers ; c'est un petit bourg dans la vallée. Ils m'ont ramené ici, le temps d'aller voir si j'ai dit vrai.

LUCIE. — Mais à Cimiers, ils vont...

JEAN. — J'ai des copains, là-bas, qui savent ce qu'ils ont à dire. Je m'en tirerai. (*Un temps.*) Il faut que je m'en tire ; les copains ne sont pas prévenus.

HENRI *siffle*. — En effet. (*Un temps.*) Eh bien, qu'en dis-tu ? L'avons-nous assez manqué, notre coup ?

JEAN. — Nous recommencerons ailleurs.

HENRI. — Toi, tu recommenceras.

Des pas dans le couloir.

CANORIS. — Éloignez-vous de lui. Il ne faut pas qu'ils nous voient lui parler.

JEAN. — Qu'est-ce que c'est ?

HENRI. — C'est Sorbier qu'ils ramènent.

JEAN. — Ah ! ils ont...

HENRI. — Oui. Ils ont commencé par lui.

Des miliciens entrent en soutenant Sorbier qui s'affaisse contre une malle. Les miliciens sortent.

SCÈNE IV

LES MÊMES, plus SORBIER

SORBIER, *sans voir Jean.* — M'ont-ils gardé longtemps ?

HENRI. — Une demi-heure.

SORBIER. — Une demi-heure ? Tu avais raison, Canoris. Le temps passe vite. M'avez-vous entendu crier ? (*Ils ne répondent pas.*) Naturellement, vous m'avez entendu.

FRANÇOIS. — Qu'est-ce qu'ils t'ont fait ?

SORBIER. — Tu verras. Tu verras bien. Il ne faut pas être si pressé.

FRANÇOIS. — Est-ce que c'est... très dur ?

SORBIER. — Je ne sais pas. Mais voici ce que je peux t'apprendre ; ils m'ont demandé où était Jean et si je l'avais su je le leur aurais dit. (*Il rit.*) Vous voyez : je me connais à présent. (*Ils se taisent.*) Qu'y a-t-il ? (*Il suit leur regard. Il voit Jean, collé contre le mur, les bras écartés.*) Qui est là ? C'est Jean ?

HENRI, *vivement.* — Tais-toi. Ils le prennent pour un gars de Cimiers.

SORBIER. — Pour un gars de Cimiers ? (*Il soupire.*) C'est bien ma veine.

HENRI, *surpris.* — Qu'est-ce que tu dis ?

SORBIER. — Je dis : c'est bien ma veine. A présent, j'ai quelque chose à leur cacher.

HENRI, *presque joyeusement.* — C'est vrai. A présent, nous avons tous quelque chose à leur cacher.

14

SORBIER. — Je voudrais qu'ils m'aient tué.

CANORIS. — Sorbier ! Je te jure que tu ne parleras pas. Tu ne *pourras pas* parler.

SORBIER. — Je te dis que je livrerais ma mère. (*Un temps.*) C'est injuste qu'une minute suffise à pourrir toute une vie.

CANORIS *doucement*. — Il faut beaucoup plus d'une minute. Crois-tu qu'un moment de faiblesse puisse pourrir cette heure où tu as décidé de tout quitter pour venir avec nous ? Et ces trois ans de courage et de patience ? Et le jour où tu as porté, malgré ta fatigue, le fusil et le sac du petit ?

SORBIER. — Te casse pas la tête. A présent je sais. Je sais ce que je suis pour de vrai.

CANORIS. — Pour de vrai ? Pourquoi serais-tu plus vrai aujourd'hui, quand ils te frappent, qu'hier quand tu refusais de boire pour donner ta part à Lucie ? Nous ne sommes pas faits pour vivre toujours aux limites de nous-mêmes. Dans les vallées aussi, il y a des chemins.

SORBIER. — Bon. Eh bien, si je mangeais le morceau, tout à l'heure, est-ce que tu pourrais encore me regarder dans les yeux ?

CANORIS. — Tu ne mangeras pas le morceau.

SORBIER. — Mais si je le faisais ? (*Silence de Canoris.*) Tu vois bien. (*Un temps, il rit.*) Il y a des types qui mourront dans leur lit, la conscience tranquille. Bons fils, bons époux, bons citoyens, bons pères... Ha ! ce sont des lâches comme moi et ils ne le sauront jamais. Ils ont de la chance. (*Un temps.*) Mais faites-moi taire ! Qu'attendez-vous pour me faire taire ?

HENRI. — Sorbier, tu es le meilleur d'entre nous.

SORBIER. — Ta gueule !

> *Des pas dans le couloir. Ils se taisent.*
> *La porte s'ouvre.*

LE MILICIEN. — Le Grec, où est-il ?

CANORIS. — C'est moi !

LE MILICIEN. — Amène-toi.

> *Canoris sort avec le milicien.*

SCÈNE V

LES MÊMES, moins CANORIS

JEAN. — C'est pour moi qu'il va souffrir.

HENRI. — Autant que ce soit pour toi. Sinon ce serait pour rien.

JEAN. — Quand il reviendra, comment pourrai-je supporter son regard ? (*A Lucie.*) Dis-moi, est-ce que tu me hais ?

LUCIE. — Ai-je l'air de te haïr ?

JEAN. — Donne-moi ta main. (*Elle lui tend ses deux mains enchaînées.*) J'ai honte de n'avoir pas de menottes. Tu es là ! Je me disais : au moins tout est fini pour elle. Finie la peur, finies la faim et la douleur. Et tu es là ! Ils viendront te chercher et ils te ramèneront en te portant à moitié.

LUCIE. — Il n'y aura dans mes yeux que de l'amour !

JEAN. — Il faudra que j'entende tes cris.

LUCIE. — J'essaierai de ne pas crier.

JEAN. — Mais le gosse criera. Il criera, j'en suis sûr.

FRANÇOIS. — Tais-toi ! Tais-toi ! Taisez-vous tous ! Est-ce que vous voulez me rendre fou ? Je ne suis pas un héros et je ne veux pas qu'on me martyrise à ta place !

LUCIE. — François !

FRANÇOIS. — Fichez-moi la paix : je ne couche pas avec lui. (*A Jean.*) *Moi*, je te hais, si tu veux le savoir.

Un temps.

JEAN. — Tu as raison.

Il va vers la porte.

HENRI. — Hé là ! Qu'est-ce que tu fais ?

JEAN. — Je n'ai pas l'habitude d'envoyer mes gars se faire casser la gueule à ma place.

HENRI. — Qui préviendra les copains ?

Jean s'arrête.

FRANÇOIS. — Laisse-le faire ! S'il veut se dénoncer. Tu n'as pas le droit de l'en empêcher.

HENRI, *à Jean, sans se soucier de François.* — Ce sera du beau, quand ils s'amèneront par ici en croyant que nous tenons le village. (*Jean revient sur ses pas, la tête basse. Il s'assoit.*) Donne-moi plutôt une cigarette. (*Jean lui donne une cigarette.*) Donnes-en une aussi au petit.

FRANÇOIS. — Laisse-moi tranquille.

Il remonte vers le fond.

HENRI. — Allume-la. (*Jean la lui allume. Henri en tire deux bouffées, puis a un ou deux sanglots nerveux.*) Ne t'inquiète pas. J'aime fumer mais je ne savais pas que cela pouvait faire autant de plaisir. Combien t'en reste-t-il ?

JEAN. — Une.

Henri, *à Sorbier*. — Tiens. (*Sorbier prend la cigarette sans mot dire et tire quelques bouffées, puis il la rend. Henri se tourne vers Jean.*) Je suis content que tu sois là. D'abord tu m'as donné une cigarette et puis tu seras notre témoin, c'est glacial. Tu iras voir les parents de Sorbier et tu écriras à la femme de Canoris.

Lucie. — Demain, tu descendras vers la ville ; tu emporteras dans tes yeux mon dernier visage vivant, tu seras le seul au monde à le connaître. Il ne faudra pas l'oublier. Moi, c'est toi. Si tu vis, je vivrai.

Jean. — L'oublier !

> *Il s'avance vers elle. On entend des pas.*

Henri. — Reste où tu es et tais-toi : ils viennent. C'est mon tour, il faut que je me presse, sans quoi je n'aurais pas le temps de finir. Écoute ! si tu n'étais pas venu, nous aurions souffert comme des bêtes, sans savoir pourquoi. Mais tu es là, et tout ce qui va se passer à présent aura un sens. On va lutter. Pas pour toi seul, pour tous les copains. Nous avons manqué notre coup mais nous pourrons peut-être sauver la face. (*Un temps.*) Je croyais être tout à fait inutile, mais je vois maintenant qu'il y a quelque chose à quoi je suis nécessaire : avec un peu de chance, je pourrai peut-être me dire que je ne meurs pas pour rien.

> *La porte s'ouvre. Canoris paraît, soutenu par deux miliciens.*

Sorbier. — Il n'a pas crié, lui.

Rideau.

DEUXIÈME TABLEAU

Une salle d'école. Bancs et pupitres. Murs crépis en blanc. Au mur du fond, carte d'Afrique et portrait de Pétain. Un tableau noir. A gauche une fenêtre. Au fond une porte. Poste de radio sur une tablette, près de la fenêtre.

SCÈNE PREMIÈRE

CLOCHET, PELLERIN, LANDRIEU

CLOCHET. — On passe au suivant ?

LANDRIEU. — Une minute. Qu'on prenne le temps de bouffer.

CLOCHET. — Bouffez si vous voulez. Je pourrais peut-être en interroger un pendant ce temps-là.

LANDRIEU. — Non, ça te ferait trop plaisir. Tu n'as donc pas faim ?

CLOCHET. — Non.

LANDRIEU, *à Pellerin*. — Clochet qui n'a pas faim ! (*A Clochet.*) Il faut que tu sois malade ?

CLOCHET. — Je n'ai pas faim quand je travaille.
Il va à la radio et tourne le bouton.

PELLERIN. — Ne nous casse pas la tête.

CLOCHET *grommelle, on entend.* — ... n'aiment pas la musique !

PELLERIN. — Tu dis ?

CLOCHET. — Je dis que je suis toujours surpris quand je vois des gens qui n'aiment pas la musique.

PELLERIN. — J'aime peut-être la musique. Mais pas celle-ci et pas ici.

CLOCHET. — Ah oui ? Moi, du moment que ça chante... (*Avec regret.*) On l'aurait fait jouer tout doucement...

PELLERIN. — Non !

CLOCHET. — Vous êtes des brutes. (*Un temps.*) On l'envoie chercher ?

LANDRIEU. — Mais lâche-nous, bon Dieu ! Il y en a trois à faire passer, c'est un coup de dix heures du soir. Je m'énerve, moi, quand je travaille le ventre vide.

CLOCHET. — D'abord il n'en reste que deux, puisqu'on garde le petit pour demain. Et puis, avec un peu d'organisation, on pourrait les liquider en deux heures. (*Un temps.*) Ce soir Radio-Toulouse donne *La Tosca.*

LANDRIEU. — Je m'en fous. Descends voir ce qu'ils ont trouvé à bouffer.

CLOCHET. — Je le sais : des poulets.

LANDRIEU. — Encore ! J'en ai marre. Va me chercher une boîte de singe.

CLOCHET, *à Pellerin.* — Et toi ?

PELLERIN. — Du singe aussi.

LANDRIEU. — Et puis tu nous enverras quelqu'un pour laver ça.

CLOCHET. — Quoi ?

LANDRIEU. — Ça. C'est là que le Grec a saigné ! C'est moche.

CLOCHET. — Il ne faut pas laver le sang. Cela peut impressionner les autres.

LANDRIEU. — Je ne mangerai pas tant qu'il y aura cette cochonnerie sur le plancher. (*Un temps.*) Qu'attends-tu ?

CLOCHET. — Il ne faut pas laver ce sang.

LANDRIEU. — Qui est-ce qui commande ?

> *Clochet hausse les épaules et sort.*

SCÈNE II

LANDRIEU, PELLERIN

PELLERIN. — Ne le charrie pas trop.

LANDRIEU. — Je vais me gêner.

PELLERIN. — Ce que je t'en dis... Il a un cousin auprès de Darnand. Il lui envoie des rapports. Je crois que c'est lui qui a fait virer Daubin.

LANDRIEU. — La sale punaise ! S'il veut me faire virer, il faudra qu'il se presse, parce que j'ai dans l'idée que Darnand passera à la casserole avant moi.

PELLERIN. — Peut se faire.

> *Il soupire et va machinalement à la radio.*

LANDRIEU. — Ah non ! Pas toi.

PELLERIN. — C'est pour les nouvelles.

LANDRIEU, *ricanant.* — Je crois que je les connais, les nouvelles.

Pellerin manœuvre les boutons de la radio.

VOIX DU SPEAKER. — Au quatrième top il sera exactement huit heures. (*Tops. Ils règlent leurs montres.*) Chers auditeurs, dans quelques instants, vous entendrez notre concert du dimanche.

LANDRIEU, *soupirant.* — C'est vrai que nous sommes dimanche. (*Premières mesures d'un morceau de musique.*) Tords-lui le cou.

PELLERIN. — Le dimanche, je prenais ma bagnole, je ramassais une poule à Montmartre et je filais au Touquet.

LANDRIEU. — Quand cela ?

PELLERIN. — Oh ! Avant la guerre.

VOIX DU SPEAKER. — J'ai trouvé des clous dans le jardin du presbytère. Nous répétons : j'ai trouvé...

LANDRIEU. — Vos gueules, fumiers !

Il prend une boîte de conserves et la lance dans la direction de l'appareil.

PELLERIN. — Tu es fou ? Tu vas casser la radio.

LANDRIEU. — Je m'en fous. Je ne veux pas entendre ces fumiers-là.

Pellerin tourne les boutons.

VOIX DU SPEAKER. — Les troupes allemandes tiennent solidement à Cherbourg et à Caen. Dans le secteur de Saint-Lô, elles n'ont pu enrayer une légère avance de l'ennemi.

LANDRIEU. — Compris. Ferme-la. (*Un temps.*) Qu'est-ce que tu feras, toi ? Où iras-tu ?

PELLERIN. — Qu'est-ce que tu veux qu'on fasse ? C'est cuit !

LANDRIEU. — Oui. Les salauds !

PELLERIN. — Qui ça ?

LANDRIEU. — Tous. Les Allemands aussi. Ils se valent tous. (*Un temps.*) Si c'était à refaire...

PELLERIN. — Moi, je crois que je ne regrette rien. J'ai bien rigolé. Du moins jusqu'à ces derniers temps.

> *Clochet rentre, apportant les boîtes de conserves.*

SCÈNE III

LES MÊMES, CLOCHET, puis UN MILICIEN

LANDRIEU. — Dis donc, Clochet, les Anglais ont débarqué à Nice.

CLOCHET. — A Nice ?

LANDRIEU. — Ils n'ont pas rencontré de résistance. Ils marchent sur Puget-Téniers.

> *Clochet se laisse tomber sur un banc.*

CLOCHET. — Sainte Vierge !

> *Pellerin et Landrieu se mettent à rire.*

C'est de la blague ? Vous ne devriez pas faire de ces plaisanteries-là !

LANDRIEU. — Ça va. Tu mettras ça ce soir dans ton rapport. (*Le milicien entre.*) Nettoyez-moi ça. (*A Pellerin.*) Tu viens manger ?

> *Pellerin s'approche, prend la boîte de singe, la regarde, puis la repose.*

PELLERIN, *il bâille.* — Je me sens toujours drôle avant de commencer. (*Il bâille.*) Je ne suis pas

assez méchant ; je m'irrite seulement quand ils
s'entêtent. Qu'est-ce que c'est le type qu'on interroge ?

Clochet. — Un grand, de trente ans, solide.
Il y aura du sport.

Landrieu. — Qu'il ne nous fasse pas le coup
du Grec.

Pellerin. — Bah ! Le Grec, c'était une brute.

Landrieu. — N'empêche. Ça la fout mal quand
ils ne parlent pas. (*Il bâille.*) Tu me fais bâiller.
— (*Un temps. Landrieu regarde le fond de sa
boîte de singe sans parler, puis tout d'un coup au
milicien.*) Eh bien, va le chercher.

> *Le milicien sort. Silence. Clochet sif-
> flote. Pellerin va à la fenêtre et l'ouvre
> toute grande.*

Clochet. — N'ouvre pas la fenêtre. Il commence à faire frais.

Pellerin. — Quelle fenêtre ? Ah oui... (*Il rit.*)
Je l'ai ouverte sans y penser.

> *Il va pour la refermer.*

Landrieu. — Laisse. Ça cogne ici, j'ai besoin
d'air.

Clochet. — Comme vous voudrez.

> *Entrent Henri et trois miliciens.*

Landrieu. — Asseyez-le. Otez-lui ses menottes.
Attachez ses mains aux bras du fauteuil. (*Les
miliciens l'attachent.*) Ton nom ?

Henri. — Henri.

Landrieu. — Henri comment ?

Henri. — Henri.

> *Landrieu fait un signe. Les miliciens
> frappent Henri.*

Landrieu. — Alors ? Comment t'appelles-tu ?

HENRI. — Je m'appelle Henri, c'est tout.

Ils le frappent.

LANDRIEU. — Arrêtez, vous allez l'abrutir. Ton âge ?

HENRI. — Vingt-neuf ans.

LANDRIEU. — Profession ?

HENRI. — Avant la guerre, je faisais ma médecine.

PELLERIN. — Tu as de l'instruction, salaud. (*Aux miliciens.*) Tapez dessus.

LANDRIEU. — Ne perdons pas de temps.

PELLERIN. — Sa médecine ! Mais tapez donc !

LANDRIEU. — Pellerin ! (*A Henri.*) Où est ton chef ?

HENRI. — Je ne sais pas.

LANDRIEU. — Bien sûr. Non, ne le frappez pas. Tu fumes ? Passez-lui cette cigarette : Attendez. (*Il la met dans sa propre bouche, l'allume et la lui tend. Un milicien la plante dans la bouche d'Henri.*) Fume. Qu'est-ce que tu espères ? Tu ne nous épateras pas. Allons, Henri, ne crâne pas : personne ne te voit. Ménage ton temps et le nôtre : il ne te reste pas tellement d'heures à vivre.

HENRI. — Ni à vous.

LANDRIEU. — Pour nous, ça se compte en mois : nous t'enterrerons. Fume. Et réfléchis. Puisque tu es instruit, montre-toi réaliste. Si ce n'est pas toi qui parles, ce sera ta copine ou le môme.

HENRI. — C'est leur affaire.

LANDRIEU. — Où est ton chef ?

HENRI. — Essayez de me le faire dire.

LANDRIEU. — Tu préfères ? Ote-lui sa cigarette. Clochet, arrange-le.

CLOCHET. — Mettez les bâtons dans les cordes. (*Les miliciens glissent deux bâtons dans les cordes qui serrent les poignets d'Henri.*) Parfait. On les tournera jusqu'à ce que tu parles.

HENRI. — Je ne parlerai pas.

CLOCHET. — Pas tout de suite : tu crieras d'abord.

HENRI. — Essaie de me faire crier.

CLOCHET. — Tu n'es pas humble. Il faut être humble. Si tu tombes de trop haut tu te casses. Tournez. Lentement. Alors ? Rien ? Non. Tournez, tournez. Attendez : il commence à souffrir. Alors ? Non ? Bien sûr : la douleur n'existe pas pour un type qui a ton instruction. L'ennui, c'est qu'on la voit sur ta figure. (*Doucement.*) Tu sues. J'ai mal pour toi. (*Il lui essuie le visage avec son mouchoir.*) Tournez. Criera, criera pas ? Tu remues. Tu peux t'empêcher de crier, mais pas de remuer la tête. Comme tu as mal. (*Il passe le doigt sur les joues d'Henri.*) Comme tes mâchoires sont serrées : tu as donc peur ? « Si je pouvais tenir un moment, rien qu'un petit moment... » Mais après ce moment-là il en viendra un autre et puis encore un autre, jusqu'à ce que tu penses que la souffrance est trop forte et qu'il vaut mieux te mépriser. Nous ne te lâcherons pas. (*Il lui prend la tête dans ses mains.*) Ces yeux ne me voient déjà plus. Qu'est-ce qu'ils voient ? (*Doucement.*) Tu es beau. Tournez. (*Un temps. Triomphalement.*) Tu vas crier, Henri, tu vas crier. Je vois le cri qui gonfle ton cou ; il monte à tes lèvres. Encore un petit effort. Tournez. (*Henri crie.*) Ha ! (*Un temps.*) Comme tu dois avoir honte. Tournez. Ne vous arrêtez pas. (*Henri crie.*)

Tu vois ; il n'y a que le premier cri qui coûte. A présent, tout doucement, tout naturellement, tu vas parler.

HENRI. — Vous n'aurez de moi que des cris.

CLOCHET. — Non, Henri, non. Tu n'as plus le droit de faire le fier. « Essaie de me faire crier ! » Tu as vu ; ça n'a pas traîné. Où est ton chef ? Sois humble, Henri, tout à fait humble. Dis-nous où il est. Eh bien, qu'attends-tu ? Crie ou parle. Tournez. Mais tournez, bon Dieu, cassez-lui les poignets. Arrêtez : il est tombé dans les pommes. (*Il va chercher une bouteille d'alcool et un verre. Il fait boire Henri avec douceur.*) Bois, pauvre martyr. Tu te sens mieux ? Eh bien, nous allons commencer. Allez chercher les appareils.

LANDRIEU. — Non !

CLOCHET. — Quoi ?

Landrieu se passe la main sur le front.

LANDRIEU. — Emmenez-le à côté. Vous le travaillerez là-bas.

CLOCHET. — Nous serons à l'étroit.

LANDRIEU. — C'est moi qui commande, Clochet. Voilà deux fois que je te le fais remarquer.

CLOCHET. — Mais...

LANDRIEU, *criant*. — Est-ce que tu veux que je te foute mon poing dans la gueule ?

CLOCHET. — Bon, bon, emmenez-le.

Les miliciens détachent Henri et l'emportent. Clochet les suit.

SCÈNE IV

PELLERIN, LANDRIEU

PELLERIN. — Tu viens ?

LANDRIEU. — Non. Clochet m'écœure.

PELLERIN. — Il cause trop. (*Un temps.*) Sa médecine ! Le salaud. J'ai quitté le lycée à treize ans, moi, il fallait que je gagne ma vie. Je n'ai pas eu la chance d'avoir des parents riches pour me payer mes études.

LANDRIEU. — J'espère qu'il parlera.

PELLERIN. — Nom de Dieu, oui ; il parlera !

LANDRIEU. — Ça la fout mal, un type qui ne parle pas.

> *Henri crie. Landrieu va à la porte et la ferme. Nouveaux cris, qu'on entend distinctement à travers la porte. Landrieu va au poste de radio et tourne le bouton.*

PELLERIN, *stupéfait.* — Toi aussi, Landrieu ?

LANDRIEU. — Ce sont ces cris. Il faut avoir les nerfs solides.

PELLERIN. — Qu'il crie ! C'est un salaud, un sale intellectuel. (*Musique aiguë.*) Moins fort. Tu m'empêches d'entendre.

LANDRIEU. — Va les rejoindre. (*Pellerin hésite, puis sort.*) Il faut qu'il parle. C'est un lâche, il faut que ce soit un lâche.

> *Musique et cris. Les cris cessent. Un temps. Pellerin revient, pâle.*

PELLERIN. — Arrête la musique.
                    Landrieu tourne le bouton.
LANDRIEU. — Alors ?
PELLERIN. — Ils le tueront sans qu'il parle.
LANDRIEU *va à la porte.* — Arrêtez. Ramenez-le
ici.

SCÈNE V

LES MÊMES, CLOCHET, LES MILICIENS,
HENRI

PELLERIN, *va à Henri.* — Ce n'est pas fini. On
remettra ça, n'aie pas peur. Baisse les yeux. Je te
dis de baisser les yeux. (*Il le frappe.*) Salaud !
CLOCHET, *s'approchant.* — Tends la main, je
vais te remettre les menottes. (*Il lui met les
menottes, très doucement.*) Ça fait mal, hein ? Ça
fait très mal ? Pauvre petit gars. (*Il lui caresse
les cheveux.*) Allons, ne sois pas si fier : tu as
crié, tu as crié tout de même. Demain tu parleras.
        *Les miliciens emmènent Henri sur un
    geste de Landrieu.*

SCÈNE VI

LES MÊMES, moins HENRI et les MILICIENS

PELLERIN. — Le salaud !
LANDRIEU. — Ça la fout mal.

CLOCHET. — Quoi ?

LANDRIEU. — Ça la fout mal, un type qui ne parle pas.

CLOCHET. — Il avait crié pourtant. Il avait crié...

Il hausse les épaules.

PELLERIN. — Amenez la fille.

LANDRIEU. — La fille... Si elle ne parle pas...

PELLERIN. — Eh bien...

LANDRIEU. — Rien. (*Avec une violence subite.*) Il *faut* qu'il y en ait un qui parle.

CLOCHET. — C'est le blond qu'il faut faire redescendre. Il est à point.

LANDRIEU. — Le blond ?

CLOCHET. — Sorbier. C'est un lâche.

LANDRIEU. — Un lâche ? Va le chercher.

Clochet sort.

SCÈNE VII

PELLERIN, LANDRIEU

PELLERIN. — Ce sont tous des lâches. Seulement il y en a qui sont butés.

LANDRIEU. — Pellerin ! Qu'est-ce que tu ferais si on t'arrachait les ongles ?

PELLERIN. — Les Anglais n'arrachent pas les ongles.

LANDRIEU. — Mais les maquisards ?

PELLERIN. — On ne nous arrachera pas les ongles.

LANDRIEU. — Pourquoi ?

PELLERIN. — A nous, ces choses-là ne peuvent pas arriver.

> Rentre Clochet, précédant Sorbier.

CLOCHET. — Laisse-moi l'interroger.

SCÈNE VIII

LES MÊMES, CLOCHET,
puis SORBIER accompagné de MILICIENS

CLOCHET. — Otez ses menottes. Attachez ses bras au fauteuil. Bien. (*Il va vers Sorbier.*) Eh oui, te voilà. Te voilà de nouveau sur ce fauteuil. Et nous sommes là. Sais-tu pourquoi nous t'avons fait redescendre ?

SORBIER. — Non.

CLOCHET. — Parce que tu es un lâche et que tu vas manger le morceau. Tu n'es pas un lâche ?

SORBIER. — Si.

CLOCHET. — Tu vois, tu vois bien... Je l'ai lu dans tes yeux. Montre-les, ces yeux, grands ouverts...

SORBIER. — Tu auras les mêmes quand on te pendra.

CLOCHET. — Ne crâne pas, ça te va mal.

SORBIER. — Les mêmes ; on est frères. Je t'attire, hein ? Ce n'est pas moi que tu tortures. C'est toi.

CLOCHET, *brusquement*. — Tu es juif ?

SORBIER, *étonné*. — Moi ? Non.

CLOCHET. — Je te jure que tu es juif. (*Il fait*

un signe aux miliciens qui frappent Sorbier.) Tu n'es pas juif ?

SORBIER. — Si. Je suis juif.

CLOCHET. — Bon. Alors, écoute ! Les ongles d'abord. Ça te donnera le temps de réfléchir ! Nous ne sommes pas pressés, nous avons la nuit ! Parleras-tu ?

SORBIER. — Quelle ordure !

CLOCHET. — Qu'est-ce que tu dis ?

SORBIER. — Je dis : quelle ordure. Toi et moi, nous sommes des ordures.

CLOCHET, *aux miliciens.* — Prenez la pince et commencez.

SORBIER. — Laissez-moi ! Laissez-moi ! Je vais parler. Je vous dirai tout ce que vous voudrez.

CLOCHET, *aux miliciens.* — Tirez-lui un peu sur l'ongle tout de même, pour lui montrer que c'est sérieux. (*Sorbier gémit.*) Bon, où est ton chef ?

SORBIER. — Détachez-moi, je ne peux plus rester sur ce fauteuil. Je ne peux plus ! Je ne peux plus ! (*Signe de Landrieu. Les miliciens le détachent. Il se lève en chancelant et va vers la table.*) Une cigarette.

LANDRIEU. — Après.

SORBIER. — Qu'est-ce que vous voulez savoir ? Où est le chef ? Je le sais. Les autres ne le savent pas ; moi, je le sais. J'étais dans ses confidences. Il est... (*Désignant brusquement un point derrière eux.*) ... là ! (*Tout le monde se retourne. Il bondit à la fenêtre et saute sur l'entablement.*) J'ai gagné ! N'approchez pas ou je saute. J'ai gagné ! J'ai gagné !

CLOCHET. — Ne fais pas l'idiot. Si tu parles, on te libère.

SORBIER. — Des clous ! (*Criant.*) Hé, là-haut !
Henri, Canoris, je n'ai pas parlé ! (*Les miliciens
se jettent sur lui. Il saute dans le vide.*) Bonsoir !

SCÈNE IX

CLOCHET, LANDRIEU, PELLERIN,
LES MILICIENS

PELLERIN. — Le salaud ! Le sale couard !
> *Ils se penchent à la fenêtre.*
LANDRIEU, *aux miliciens.* — Descendez. S'il est
vivant, rapportez-le. On le travaillera à chaud,
jusqu'à ce qu'il nous claque entre les mains.
> *Les miliciens sortent. Un temps.*
CLOCHET. — Je vous avais dit de fermer la
fenêtre.
> *Landrieu va à lui et lui donne un coup
> de poing en pleine figure.*
LANDRIEU. — Tu mettras ça dans ton rapport.
> *Un temps. Clochet a pris son mouchoir
> et s'essuie la bouche. Les miliciens
> reviennent.*
UN MILICIEN. — Crevé !
LANDRIEU. — La salope ! (*Aux miliciens.*) Allez
me chercher la fille. (*Les miliciens sortent.*) Ils
parleront, nom de Dieu ! Ils parleront !

Rideau.

TROISIÈME TABLEAU

Le grenier. François, Canoris, Henri, assis par terre les uns contre les autres. Ils forment un groupe serré et clos. Ils parlent entre eux, à mi-voix. Jean tourne autour d'eux d'un air malheureux. De temps en temps il a un mouvement comme pour se mêler à la conversation et puis il se reprend et continue sa marche.

SCÈNE PREMIÈRE

FRANÇOIS, HENRI, CANORIS, JEAN

CANORIS. — Pendant qu'ils m'attachaient les bras, je les regardais. Un type est venu et m'a frappé. Je l'ai regardé et j'ai pensé : j'ai vu cette tête-là quelque part. Après ça, ils se sont mis à cogner et moi j'essayais de me rappeler.

HENRI. — Lequel est-ce ?

CANORIS. — Le grand qui est si communicatif. Je l'ai vu à Grenoble. Tu connais Chasières, le pâtissier de la rue Longue ? Il vend des cornets à la crème dans son arrière-boutique. Tous les

dimanches matin, le type sortait de là ; il portait
un paquet de gâteaux par une ficelle rose. Je
l'avais repéré à cause de sa sale gueule. Je croyais
qu'il était de la police.

Henri. — Tu aurais pu me le dire plus tôt.

Canoris. — Qu'il était de la police ?

Henri. — Que Chasières vendait des cornets à
la crème. A toi aussi il a fait des boniments ?

Canoris. — Je veux. Il s'était penché sur moi
et me soufflait sur la figure.

Jean, *brusquement.* — Qu'est-ce qu'il disait ?
        *Ils se retournent sur lui et le regardent
        avec surprise.*

Henri. — Rien. Des salades.

Jean. — Je n'aurais pas pu le supporter.

Henri. — Pourquoi ? Ça distrait.

Jean. — Ah ! Ah ! oui ? Évidemment je ne me
rends pas bien compte.
        *Un silence. Henri se tourne vers Cano-
        ris.*

Henri. — Qu'est-ce que tu crois qu'ils font,
dans le civil ?

Canoris. — Le gros qui prend des notes pourrait être dentiste.

Henri. — Pas mal. Dis donc : heureusement
qu'il n'a pas apporté sa roulette.
                                Ils rient.

Jean, *avec violence.* — Ne riez pas. (*Ils cessent
de rire et regardent Jean.*) Je sais : vous pouvez
rire, vous. Vous avez le droit de rire. Et puis
je n'ai plus d'ordres à vous donner. (*Un temps.*)
Si vous m'aviez dit qu'un jour vous m'intimide-
riez... (*Un temps.*) Mais comment pouvez-vous
être gais ?

HENRI. — On s'arrange.

JEAN. — Bien sûr. Et vous souffrez pour votre compte. C'est ça qui donne une bonne conscience. J'ai été marié ; je ne vous l'ai pas dit. Ma femme est morte en couches. Je me promenais dans le vestibule de la clinique et je savais qu'elle allait mourir. C'est pareil, tout est pareil ! J'aurais voulu l'aider, je ne pouvais pas. Je marchais, je tendais l'oreille pour entendre ses cris. Elle ne criait pas. Elle avait le beau rôle. Vous aussi.

HENRI. — Ce n'est pas notre faute.

JEAN. — Ni la mienne. Je voudrais pouvoir vous aider.

CANORIS. — Tu ne peux pas.

JEAN. — Je le sais. (*Un temps.*) Voilà deux heures qu'ils l'ont emmenée. Ils ne vous ont pas gardés si longtemps.

HENRI. — C'est une femme. Avec les femmes, ils s'amusent.

JEAN, *avec éclat.* — Je reviendrai. Dans huit jours, dans un mois, je reviendrai. Je les ferai châtrer par mes hommes.

HENRI. — Tu as de la chance de pouvoir encore les haïr.

JEAN. — Est-ce une chance ? Et puis je les hais surtout pour me distraire.

> *Il marche un moment, puis, pris d'une idée, traîne un vieux fourneau sous la lucarne.*

CANORIS. — Tu es fatigant. Qu'est-ce que tu fais ?

JEAN. — Je veux le revoir avant que la nuit tombe.

HENRI. — Qui ?

JEAN. — Sorbier.

HENRI, *avec indifférence.* — Ah !

> *Jean monte sur le fourneau et regarde par la lucarne.*

JEAN. — Il est toujours là. Ils le laisseront pourrir là. Voulez-vous monter ? Je vous aiderai.

CANORIS. — Pour quoi faire ?

JEAN. — Oui. Pour quoi faire ? Les morts, vous me les laissez.

FRANÇOIS. — Moi je veux voir.

HENRI. — Je ne te le conseille pas.

FRANÇOIS, *à Jean.* — Aide-moi. (*Jean aide François à monter. Il regarde à son tour par la lucarne.*) Il a... il a le crâne défoncé.

> *Il redescend et va s'accroupir dans un coin, tout tremblant.*

HENRI, *à Jean.* — C'est malin.

JEAN. — Eh bien quoi ? Vous êtes si durs ; je pensais que vous pourriez supporter la vue d'un cadavre.

HENRI. — Moi peut-être, pas le petit. (*A François.*) Les oraisons funèbres, c'est Jean que ça regarde. Tu n'as pas à prendre ce mort en charge. Il a fini : le silence sur lui. Toi, tu as encore un bout de chemin à faire. Occupe-toi de toi.

FRANÇOIS. — J'aurai cette tête écrasée, et ces yeux...

HENRI. — Ça ne te regarde plus : tu seras pas là pour te voir.

> *Un temps. Jean se promène de long en large, puis revient se planter devant Canoris et Henri.*

JEAN. — Est-ce qu'il faudra qu'on m'arrache les ongles pour que je redevienne votre copain ?

CANORIS. — Tu es toujours notre copain.

JEAN. — Tu sais bien que non. (*Un temps.*) Qui vous dit que je n'aurais pas tenu le coup ! (*A Henri.*) Peut-être que je n'aurais pas crié, moi ?

HENRI. — Après ?

JEAN. — Pardonnez-moi. Je n'ai que le droit de me taire.

HENRI. — Jean !... Viens t'asseoir près de nous. (*Jean hésite et s'assied.*) Tu serais comme nous si tu étais à notre place. Mais nous n'avons pas les mêmes soucis. (*Jean se relève brusquement.*) Qu'est-ce qu'il y a ?

JEAN. — Tant qu'ils ne l'auront pas ramenée, je ne pourrai pas tenir en place.

HENRI. — Tu vois bien ; tu remues, tu t'agites : tu es trop vivant.

JEAN. — Je suis resté six mois sans lui dire que je l'aimais ; la nuit, quand je la prenais dans mes bras, j'éteignais la lumière. A présent elle est nue au milieu d'eux et ils promènent leurs mains sur son corps.

HENRI. — Qu'est-ce que ça peut faire ? L'important c'est de gagner.

JEAN. — Gagner quoi ?

HENRI. — Gagner. Il y a deux équipes : l'une qui veut faire parler l'autre. (*Il rit.*) C'est idiot. Mais c'est tout ce qui nous reste. Si nous parlons, nous avons tout perdu. Ils ont marqué des points parce que j'ai crié, mais dans l'ensemble nous ne sommes pas mal placés.

JEAN. — Gagnez, perdez, je m'en fous ! C'est

pour rire. Elle a honte pour de vrai ; c'est pour de vrai qu'elle souffre.

HENRI. — Et après ? J'ai bien eu honte, moi, quand ils m'ont fait crier. Mais ça ne dure pas. Si elle se tait, leurs mains ne pourront pas la marquer. Ce sont de pauvres types, tu sais.

JEAN. — Ce sont des hommes et elle est dans leurs bras.

HENRI. — Ça va. Si tu veux savoir, je l'aime aussi, moi.

JEAN. — Toi ?

HENRI. — Pourquoi pas ? Et je n'avais pas tel-lement envie de rire le soir quand vous montiez l'escalier tous les deux ; les lumières, tiens, je me suis souvent demandé si tu les éteignais.

JEAN. — Toi, tu l'aimes ? Et tu peux rester tranquillement assis ?

HENRI. — Sa souffrance nous rapproche. Le plaisir que tu lui donnais nous séparait davan-tage. Aujourd'hui je suis plus près d'elle que toi.

JEAN. — Ce n'est pas vrai ! Ce n'est pas vrai ! Elle pense à moi pendant qu'ils la torturent. Elle ne pense qu'à moi. C'est pour ne pas me livrer qu'elle endure les souffrances et la honte.

HENRI. — Non, c'est pour gagner.

JEAN. — Tu mens ! (*Un temps.*) Elle a dit : Quand je reviendrai, il n'y aura dans mes yeux que de l'amour.

Bruit de pas dans le couloir.

HENRI. — Elle revient. Tu pourras lire dans ses yeux.

La porte s'ouvre : Henri se lève.

SCÈNE II

LES MÊMES, LUCIE

*Jean et Henri la regardent en silence.
Elle passe toute droite, sans les regarder,
et va s'asseoir sur le devant de la scène.
Un temps.*

LUCIE. — François ! (*François vient près d'elle
et s'assied contre ses genoux.*) Ne me touche pas.
Donne-moi le manteau de Sorbier. (*François
ramasse le manteau.*) Mets-le sur mes épaules.
                    Elle s'enveloppe étroitement.

FRANÇOIS. — Tu as froid ?

LUCIE. — Non. (*Un temps.*) Qu'est-ce qu'ils
font ? Ils me regardent ? Pourquoi ne parlent-ils
pas entre eux ?

JEAN, *s'approchant par derrière.* — Lucie !

CANORIS. — Laisse-la !

JEAN. — Lucie !

LUCIE, *doucement.* — Qu'est-ce que tu veux ?

JEAN. — Tu m'avais promis qu'il n'y aurait
que de l'amour dans tes yeux.

LUCIE. — De l'amour ?
                    Elle hausse les épaules tristement.

CANORIS, *qui s'est levé.* — Laisse ; tu lui parleras tout à l'heure.

JEAN, *violemment.* — Fous-moi la paix. Elle est
à moi. Vous m'avez lâché, vous autres, et je n'ai
rien à dire ; mais vous ne me la prendrez pas. (*A*

Lucie.) Parle-moi. Tu n'es pas comme eux ? Ce n'est pas possible que tu sois comme eux. Pourquoi ne réponds-tu pas ? Est-ce que tu m'en veux ?

LUCIE. — Je ne t'en veux pas.

JEAN. — Ma douce Lucie.

LUCIE. — Je ne serai plus jamais douce, Jean.

JEAN. — Tu ne m'aimes plus.

LUCIE. — Je ne sais pas. (*Il fait un pas vers elle.*) Je t'en prie, ne me touche pas. (*Avec effort.*) Je pense que je dois t'aimer encore. Mais je ne sens plus mon amour. (*Avec fatigue.*) Je ne sens plus rien du tout.

CANORIS, *à Jean.* — Viens donc.

> *Il l'entraîne et l'oblige à s'asseoir près de lui.*

LUCIE, *comme à elle-même.* — Tout ceci n'a pas grande importance. (*A François.*) Que font-ils ?

FRANÇOIS. — Ils se sont assis. Ils se tournent le dos.

LUCIE. — Bien. (*Un temps.*) Dis-leur que je n'ai pas parlé.

CANORIS. — Nous le savons, Lucie.

LUCIE. — Bien.

> *Long silence, puis bruit de pas dans le couloir. François se dresse en criant.*

LUCIE. — Qu'est-ce que tu as ? Ah ! oui, c'est ton tour. Défends-toi bien : il faut qu'ils aient honte.

> *Les pas se rapprochent, puis s'éloignent.*

FRANÇOIS *s'abat sur les genoux de Lucie.* — Je

ne peux plus le supporter ! Je ne peux plus le supporter !

LUCIE. — Regarde-moi ! (*Elle lui soulève la tête.*) Comme tu as eu peur ! Tu ne vas pas parler ? Réponds !

FRANÇOIS. — Je ne sais plus. Il me restait un peu de courage, mais il n'aurait pas fallu que je te revoie. Tu es là, avec tes cheveux défaits, ta blouse déchirée, et je sais qu'ils t'ont prise dans leurs bras.

LUCIE, *avec violence.* — Ils ne m'ont pas touchée. Personne ne m'a touchée. J'étais de pierre et je n'ai pas senti leurs mains. Je les regardais de face et je pensais : il ne se passe rien. (*Avec passion.*) Il ne s'est rien passé. A la fin je leur faisais peur. (*Un temps.*) François, si tu parles, ils m'auront violée pour de bon. Ils diront : « Nous avons fini par les avoir ! » Ils souriront à leurs souvenirs. Ils diront : « Avec la môme on a bien rigolé. » Il faut leur faire honte : si je n'espérais pas les revoir, je me pendrais tout de suite aux barreaux de cette lucarne. Te tairas-tu ?

> *François hausse les épaules sans répondre. Un silence.*

HENRI, *à mi-voix.* — Eh bien, Jean, qui avait raison ? Elle veut gagner ; c'est tout.

JEAN. — Tais-toi ! Pourquoi veux-tu me la prendre ? Tu es comblé ; tu mourras dans la joie et l'orgueil. Moi je n'ai qu'elle et je vais vivre !

HENRI. — Je ne veux rien et ce n'est pas moi qui te la prends.

JEAN. — Va ! Va ! Continue. Tu as tous les droits, même celui de me torturer : tu as payé d'avance. (*Il se lève.*) Comme vous êtes sûrs de

vous. Est-ce qu'il suffit de souffrir dans son corps
pour avoir la conscience tranquille ? (*Henri ne
répond pas.*) Tu ne comprends donc pas que je
suis plus malheureux que vous tous ?

FRANÇOIS, *qui s'est brusquement redressé.* —
Ha ! Ha ! Ha !

JEAN, *criant.* — Le plus malheureux ! Le plus
malheureux !

FRANÇOIS *bondit sur Jean.* — Regardez-le donc !
Mais regardez-le donc ! Le plus malheureux de
nous tous. Il a dormi et mangé. Ses mains sont
libres, il reverra le jour, il va vivre. Mais c'est le
plus malheureux. Qu'est-ce que tu veux ? Qu'on
te plaigne ? Salaud !

JEAN, *qui s'est croisé les bras.* — Bien.

FRANÇOIS. — A tous les bruits je sursaute. Je
ne peux plus avaler ma salive, j'agonise. Mais
le plus malheureux, c'est lui, bien sûr : moi je
mourrai dans la joie. (*Avec éclat.*) Je te rendrai
le bonheur, va !

LUCIE, *qui se lève brusquement.* — François !

FRANÇOIS. — Je te dénoncerai ! Je te dénoncerai ! Je te ferai partager nos joies !

JEAN, *d'une voix basse et rapide.* — Fais-le :
tu ne peux pas savoir comme je le désire.

LUCIE, *prenant François par la nuque et lui
tournant la tête vers elle.* — Regarde-moi en face.
Oseras-tu parler ?

FRANÇOIS. — Oser ! Voilà bien vos grands mots,
je le dénoncerai, voilà tout. Ce sera tellement
simple : ils s'approcheront de moi, ma bouche
s'ouvrira d'elle-même, le nom sortira tout seul et
je serai d'accord avec ma bouche. Qu'y a-t-il à
oser ? Quand je vous vois pâles et crispés, avec

vos airs maniaques, votre mépris ne me fait plus
peur. (*Un temps.*) Je te sauverai, Lucie. Ils nous
laisseront la vie.

Lucie. — Je ne veux pas de cette vie.

François. — Et moi j'en veux. Je veux de
n'importe quelle vie. La honte, ça passe quand
la vie est longue.

Canoris. — Ils ne te feront pas grâce, François. Même si tu parles.

François, *désignant Jean.* — Au moins je le
verrai souffrir.

Henri *se lève et va vers Lucie.* — Tu crois
qu'il parlera ?

Lucie *se tourne vers François et le dévisage.*
— Oui.

Henri. — Tu en es sûre ?

> *Ils se regardent.*

Lucie, *après une longue hésitation.* — Oui.

> *Henri marche vers François. Canoris
> se lève et vient se placer près d'Henri.
> Tous deux regardent François.*

Henri. — Je ne suis pas ton juge, François.
Tu es un môme et toute cette affaire était beaucoup trop dure pour toi. A ton âge, je pense que
j'aurais parlé.

Canoris. — Tout est de notre faute. Nous n'aurions pas dû t'emmener avec nous : il y a des
risques qu'on ne fait courir qu'à des hommes.
Nous te demandons pardon.

François, *reculant.* — Qu'est-ce que cela veut
dire ? Qu'est-ce que vous allez me faire ?

Henri. — Il ne faut pas que tu parles, François. Ils te tueraient tout de même, tu sais. Et tu
mourrais dans l'abjection.

FRANÇOIS, *effrayé*. — Eh bien, je ne parlerai pas. Je vous dis que je ne parlerai pas. Laissez-moi tranquille.

HENRI. — Nous n'avons plus confiance. Ils savent que tu es notre point faible. Ils s'acharneront sur toi jusqu'à ce que tu manges le morceau. Notre jeu à nous, c'est de t'empêcher de parler.

JEAN. — Est-ce que vous imaginez que je vais vous laisser faire ? N'aie pas peur, petit. J'ai les mains libres et je suis avec toi.

LUCIE, *lui barrant le passage*. — De quoi te mêles-tu ?

JEAN. — C'est ton frère.

LUCIE. — Après ? Il devait mourir demain.

JEAN. — Est-ce bien toi ? Tu me fais peur.

LUCIE. — Il faut qu'il se taise. Les moyens ne comptent pas.

FRANÇOIS. — Vous n'allez pas... (*Ils ne répondent pas.*) Puisque je vous jure que je ne parlerai pas. (*Ils ne répondent pas.*) Lucie, au secours, empêche-les de me faire mal ; je ne parlerai pas : je te le jure à toi, je ne parlerai pas.

JEAN, *se plaçant près de François*. — Vous ne le toucherez pas.

HENRI. — Jean, quand les copains viendront-ils dans ce village ?

JEAN. — Mardi.

HENRI. — Combien seront-ils ?

JEAN. — Soixante.

HENRI. — Soixante qui t'ont fait confiance et qui vont crever mardi comme des rats. C'est eux ou c'est lui. Choisis.

JEAN. — Vous n'avez pas le droit de me demander de choisir.

HENRI. — Es-tu leur chef ? Allons !

Jean hésite un instant, puis s'éloigne lentement. Henri s'approche de François.

FRANÇOIS *le regarde puis se met à crier.* — Lucie ! Au secours ! Je ne veux pas mourir ici, pas dans cette nuit. Henri, j'ai quinze ans, laisse-moi vivre. Ne me tue pas dans le noir. (*Henri le serre à la gorge.*) Lucie ! (*Lucie détourne la tête.*) Je vous hais tous.

LUCIE. — Mon petit, mon pauvre petit, mon seul amour, pardonne-nous. (*Elle se détourne. Un temps.*) Fais vite.

HENRI. — Je ne peux pas. Ils m'ont à moitié brisé les poignets.

Un temps.

LUCIE. — Est-ce fait ?

HENRI. — Il est mort.

Lucie se retourne et prend le corps de François dans ses bras. La tête de François repose sur ses genoux. Un très long silence, puis Jean se met à parler à voix basse. Toute la conversation qui suit aura lieu à voix basse.

JEAN. — Qu'est-ce que vous êtes devenus ? Pourquoi n'êtes-vous pas morts avec les autres ? Vous me faites horreur.

HENRI. — Crois-tu que je m'aime ?

JEAN. — Ça va. Dans vingt-quatre heures tu seras débarrassé de toi-même. Moi je reverrai tous les jours ce môme qui demandait grâce et ta gueule à toi, quand tes mains lui serraient le cou. (*Il va vers François et le regarde.*) Quinze ans ! Il est mort dans la rage et la peur. (*Il revient vers Henri.*) Il t'aimait, il s'endormait la tête sur

16

ton épaule : il te disait : « Je dors mieux quand tu es là. » (*Un temps.*) Salaud !

HENRI, *à Canoris et à Lucie.* — Mais parlez donc, vous autres, ne me laissez pas seul. Lucie ! Canoris ! Vous l'avez tué avec mes mains ! (*Pas de réponse. Il se tourne vers Jean.*) Et toi, dis donc, toi qui me juges, qu'est-ce que tu as fait pour le défendre ?

JEAN, *avec violence.* — Qu'est-ce que je pouvais faire ? Qu'est-ce que vous m'auriez laissé faire ?

HENRI. — Tu avais les mains libres, il fallait frapper. (*Passionnément.*) Si tu avais frappé... si tu avais cogné jusqu'à ce que je tombe...

JEAN. — Les mains libres ? Vous m'avez garrotté. Si je dis un mot, si je fais un geste : « Et les copains ? » Vous m'avez exclu, vous avez décidé de ma vie comme de ma mort : froidement. Ne venez pas dire à présent que je suis votre complice, ce serait trop commode. Votre témoin, c'est tout. Et je témoigne que vous êtes des assassins. (*Un temps.*) Tu l'as tué par orgueil.

HENRI. — Tu mens.

JEAN. — Par orgueil ! Ils t'ont fait crier, hein ? Et tu as honte. Tu veux les éblouir, pour te racheter ; tu veux t'offrir une belle mort ? Ce n'est pas vrai ? Tu veux gagner, tu nous l'as dit. Tu nous as dit que tu voulais gagner.

HENRI. — Ce n'est pas vrai ! Ce n'est pas vrai ! Lucie, dis-lui que ce n'est pas vrai ! (*Lucie ne répond pas, il fait un pas vers elle.*) Réponds ; est-ce que tu crois que je l'ai tué par orgueil ?

LUCIE. — Je ne sais pas. (*Un temps, puis péniblement.*) Il ne fallait pas qu'il parle.

HENRI. — Est-ce que tu me hais ? C'était ton frère : toi seule as le droit de me condamner.

LUCIE. — Je ne te hais pas. (*Il s'approche du corps qu'elle tient dans ses bras. Vivement.*) Ne le touche pas.

> *Henri se détourne lentement et remonte vers Canoris.*

HENRI. — Canoris ! Tu n'as pas crié, toi : pourtant tu voulais qu'il meure. Est-ce que nous l'avons tué par orgueil ?

CANORIS. — Je n'ai pas d'orgueil.

HENRI. — Mais moi, j'en ai ! C'est vrai que j'en ai. Est-ce que je l'ai tué par orgueil ?

CANORIS. — Tu dois le savoir.

HENRI. — Je... Non, je ne sais plus. Tout s'est passé trop vite et maintenant il est mort. (*Brusquement.*) Ne m'abandonnez pas ! vous n'avez pas le droit de m'abandonner. Quand j'avais mes mains autour de son cou, il me semblait que c'étaient nos mains et que nous étions plusieurs à serrer, autrement je n'aurais jamais pu...

CANORIS. — Il fallait qu'il meure : s'il avait été plus près de moi, c'est moi qui aurais serré. Quant à ce qui s'est passé dans ta tête...

HENRI. — Eh bien ?

CANORIS. — Ça ne compte pas. Rien ne compte entre ces quatre murs. Il fallait qu'il meure : c'est tout.

HENRI. — Ça va. (*Il s'approche du corps. A Lucie.*) N'aie pas peur, je ne le toucherai pas. (*Il se penche sur lui et le regarde longuement, puis il se redresse.*) Jean, quand nous avons lancé notre première grenade, combien d'otages ont-ils

été fusillés ? (*Jean ne répond pas.*) Douze. Il y
avait un gosse dans le lot ; il s'appelait Destaches.
Tu te rappelles : nous avons vu les affiches dans
la rue des Minimes. Charbonnel voulait se dénoncer et tu l'en as empêché.

JEAN. — Après ?

HENRI. — T'es-tu demandé pourquoi tu l'en as
empêché ?

JEAN. — Ce n'est pas pareil.

HENRI. — Peut-être. Tant mieux pour toi si tes
motifs étaient plus clairs : tu as pu garder une
bonne conscience. Mais Destaches est mort tout
de même. Je n'aurai plus jamais une bonne
conscience, plus jamais jusqu'à ce qu'ils me
collent contre un mur avec un bandeau sur les
yeux. Mais pourquoi voudrais-je en avoir une ?
Il fallait que le gosse meure.

JEAN. — Je ne voudrais pas être à ta place.

HENRI, *doucement.* — Tu n'es pas dans le coup,
Jean ; tu ne peux ni comprendre ni juger.

> *Un long silence, puis la voix de Lucie.*
> *Elle caresse les cheveux de François sans*
> *le regarder. Pour la première fois depuis*
> *le début de la scène elle parle à haute*
> *voix.*

LUCIE. — Tu es mort et mes yeux sont secs ;
pardonne-moi : je n'ai plus de larmes et la mort
n'a plus d'importance. Dehors ils sont trois cents,
couchés dans les herbes, et moi aussi, demain,
je serai froide et nue, sans même une main pour
caresser mes cheveux. Il n'y a rien à regretter,
tu sais : la vie non plus n'a pas beaucoup d'importance. Adieu, tu as fait ce que tu as pu. Si tu

t'es arrêté en route, c'est que tu n'avais pas
encore assez de forces. Personne n'a le droit de
te blâmer.

JEAN. — Personne. (*Un long silence. Il vient
s'asseoir près de Lucie.*) Lucie ! (*Elle fait un
geste.*) Ne me chasse pas, je voudrais t'aider.

LUCIE, *étonnée*. — M'aider à quoi ? Je n'ai pas
besoin d'aide.

JEAN. — Si. Je crois que si : j'ai peur que tu
ne te brises.

LUCIE. — Je tiendrai bien jusqu'à demain soir.

JEAN. — Tu es trop tendue, tu ne tiendras pas.
Ton courage t'abandonnera tout d'un coup.

LUCIE. — Pourquoi t'inquiètes-tu de moi ? (*Elle
le regarde.*) Tu as de la peine. Bon, je vais te
rassurer et puis tu t'en iras. Tout est devenu très
simple depuis que le petit est mort ; je n'ai plus
à m'occuper que de moi. Et je n'ai pas besoin de
courage pour mourir, tu sais : de toute façon tu
penses bien que je n'aurais pas pu lui survivre
longtemps. A présent, va-t'en ; je te dirai adieu
tout à l'heure quand ils viendront me chercher.

JEAN. — Laisse-moi rester près de toi : je me
tairai si tu veux, mais je serai là et tu ne te sentiras pas seule.

LUCIE. — Pas seule ? Avec toi ? Oh, Jean, tu
n'as donc pas compris ? Nous n'avons plus rien
de commun.

JEAN. — As-tu oublié que je t'aime ?

LUCIE. — C'est une autre que tu aimais.

JEAN. — C'est toi.

LUCIE. — Je suis une autre. Je ne me reconnais

pas moi-même. Il y a quelque chose qui a dû se bloquer dans ma tête.

JEAN. — Peut-être. Peut-être que tu es une autre. En ce cas c'est cette autre que j'aime et, demain, j'aimerai cette morte que tu seras. C'est toi que j'aime, Lucie, *toi*, heureuse ou malheureuse, vivante ou morte, c'est toi.

LUCIE. — Bon. Tu m'aimes. Et puis ?

JEAN. — Tu m'aimais aussi.

LUCIE. — Oui. Et j'aimais mon frère que j'ai laissé tuer. Notre amour est si loin, pourquoi viens-tu m'en parler ? Il n'avait vraiment aucune importance.

JEAN. — Tu mens ! Tu sais bien que tu mens. Il était notre vie, rien de plus et rien de moins que notre vie. Tout ce que nous avons vécu, nous l'avons vécu à deux.

LUCIE. — Notre vie, oui. Notre avenir. Je vivais dans l'attente, je t'aimais dans l'attente. J'attendais la fin de la guerre, j'attendais le jour où nous pourrions nous marier aux yeux de tous, je t'attendais chaque soir : je n'ai plus d'avenir, je n'attends plus que ma mort et je mourrai seule. (*Un temps.*) Laisse-moi. Nous n'avons rien à nous dire ; je ne souffre pas et je n'ai pas besoin de consolation.

JEAN. — Crois-tu que j'essaie de te consoler ? Je vois tes yeux secs et je sais que ton cœur est un enfer : pas une trace de souffrance, pas même l'eau d'une larme, tout est rougi à blanc. Comme tu dois souffrir de ne pas souffrir. Ah ! j'ai pensé cent fois à la torture, j'ai tout ressenti par avance, mais je n'imaginais pas qu'elle pouvait faire cette

horrible souffrance d'orgueil. Lucie, je voudrais
te rendre un peu de pitié pour toi-même. Si tu
pouvais laisser aller cette tête raidie, si tu pouvais l'abandonner sur mon épaule. Mais réponds-
moi ! Regarde-moi !

LUCIE. — Ne me touche pas.

JEAN. — Lucie, tu as beau faire ; nous sommes
rivés ensemble. Tout ce qu'ils t'ont fait, c'est à
nous deux qu'ils l'ont fait ; cette souffrance qui
te fuit, elle est à moi, elle t'attend ; si tu viens
dans mes bras, elle deviendra *notre* souffrance.
Mon amour, fais-moi confiance et nous pourrons
encore dire *nous*, nous serons un couple, nous
porterons tout ensemble, même ta mort. Si tu
pouvais retrouver une larme...

LUCIE, *avec violence*. — Une larme ? Je souhaite
seulement qu'ils reviennent me chercher et qu'ils
me battent pour que je puisse me taire encore et
me moquer d'eux et leur faire peur. Tout est fade
ici : l'attente, ton amour, le poids de cette tête
sur mes genoux. Je voudrais que la douleur me
dévore, je voudrais brûler, me taire et voir leurs
yeux aux aguets.

JEAN, *accablé*. — Tu n'es plus qu'un désert
d'orgueil.

LUCIE. — Est-ce ma faute ? C'est dans mon
orgueil qu'ils m'ont frappée. Je les hais mais ils
me tiennent. Et je les tiens aussi. Je me sens plus
proche d'eux que de toi. (*Elle rit.*) Nous ! Tu
veux que je dise : nous ! As-tu les poignets écrasés comme Henri ? As-tu des plaies aux jambes
comme Canoris ? Allons, c'est une comédie : tu
n'as rien ressenti, tu imagines tout.

JEAN. — Les poignets écrasés... Ha ! Si vous ne

demandez que cela pour qu'on soit des vôtres, ce
sera bientôt fait.

> *Il cherche autour de lui, avise un lourd*
> *chenet et s'en empare. Lucie éclate de*
> *rire.*

LUCIE. — Qu'est-ce que tu fais ?

JEAN, *étalant sa main gauche sur le plancher,*
la frappe avec le chenet qu'il tient de la main
droite. — J'en ai assez de vous entendre vanter
vos douleurs comme si c'étaient des mérites. J'en
ai assez de vous regarder avec des yeux de pauvre.
Ce qu'ils vous ont fait, je peux me le faire :
c'est à la portée de tous.

LUCIE, *riant.* — Raté, c'est raté. Tu peux te
casser les os, tu peux te crever les yeux : c'est
toi, c'est toi qui décides de ta douleur. Chacune
des nôtres est un viol parce que ce sont d'autres
hommes qui nous les ont infligées. Tu ne nous
rattraperas pas.

> *Un temps. Jean jette le chenet et la*
> *regarde. Puis il se lève.*

JEAN. — Tu as raison ; je ne peux pas vous
rejoindre : vous êtes ensemble et je suis seul. Je
ne bougerai plus, je ne vous parlerai plus, j'irai
me cacher dans l'ombre et vous oublierez que
j'existe. Je suppose que c'est mon lot dans cette
histoire et que je dois l'accepter comme vous
acceptez le vôtre. (*Un temps.*) Tout à l'heure une
idée m'est venue : Pierre a été tué près de la
grotte de Servaz où nous avions des armes. S'ils
me lâchent, j'irai chercher son corps, je mettrai
quelques papiers dans sa veste et je le traînerai
dans la grotte. Comptez quatre heures après mon
départ et quand ils recommenceront l'interroga-

toire, révélez-leur cette cachette. Ils trouveront Pierre et croiront que c'est moi. Alors je pense qu'ils n'auront plus de raison de vous torturer et qu'ils en finiront vite avec vous. C'est tout. Adieu.

> *Il va au fond. Long silence. Puis des pas dans le couloir. Un milicien apparaît avec une lanterne ; autour de la pièce, il promène la lanterne.*

LE MILICIEN, *apercevant François.* — Qu'est-ce qu'il a ?

LUCIE. — Il dort.

LE MILICIEN, *à Jean.* — Viens, toi. Il y a du nouveau pour toi.

> *Jean hésite, regarde tous les personnages avec une sorte de désespoir et suit le milicien. La porte se referme.*

SCÈNE III

CANORIS, HENRI, LUCIE

LUCIE. — Il est tiré d'affaire, n'est-ce pas ?

CANORIS. — Je le crois.

LUCIE. — Très bien. Voilà un souci de moins. Il va retrouver ses pareils et tout sera pour le mieux. Venez près de moi. (*Henri et Canoris se rapprochent.*) Plus près : à présent, nous sommes entre nous. Qu'est-ce qui vous arrête ? (*Elle les regarde et comprend.*) Ah ! (*Un temps.*) Il devait mourir ; vous savez bien qu'il devait mourir. Ce sont ceux d'en bas qui l'ont tué par nos mains.

Venez, je suis sa sœur et je vous dis que vous n'êtes pas coupables. Étendez vos mains sur lui : depuis qu'il est mort, il est des nôtres. Voyez comme il a l'air dur. Il ferme sa bouche sur un secret. Touchez-le.

HENRI, *caressant les cheveux de François.* — Mon petit ! Mon pauvre petit !

LUCIE. — Ils t'ont fait crier, Henri, je t'ai entendu. Tu dois avoir honte.

HENRI. — Oui.

LUCIE. — Je sens ta honte avec ta chaleur. C'est ma honte. Je lui disais que j'étais seule et je lui mentais. Avec vous, je ne me sens pas seule. (*A Canoris.*) Tu n'as pas crié, toi : c'est dommage.

CANORIS. — J'ai honte aussi.

LUCIE. — Tiens ! Pourquoi ?

CANORIS. — Quand Henri a crié, j'ai eu honte.

LUCIE. — C'est bien. Serrez-vous contre moi. Je sens vos bras et vos épaules, le petit pèse lourd sur mes genoux. C'est bien. Demain je me tairai. Ah ! comme je vais me taire. Pour lui, pour moi, pour Sorbier, pour vous. Nous ne faisons qu'un.

Rideau.

QUATRIÈME TABLEAU

*Avant le lever du rideau, une voix monstrueuse
et vulgaire chante : « Si tous les cocus avaient
des clochettes ». Le rideau se lève sur la salle de
classe. C'est le lendemain matin. Pellerin boit,
assis sur un banc, il a l'air éreinté. A la chaire
Landrieu boit ; il est à moitié saoul. Clochet est
debout près de la fenêtre. Il bâille ; de temps à
autre Landrieu éclate de rire.*

SCÈNE PREMIÈRE

PELLERIN, LANDRIEU, CLOCHET

PELLERIN. — Pourquoi ris-tu ?

LANDRIEU, *mettant sa main en cornet, devant
son oreille.* — Quoi ?

PELLERIN. — Je te demande pourquoi tu ris.

LANDRIEU, *désignant le pick-up et criant.* — A
cause de ça.

PELLERIN. — Hé ?

LANDRIEU. — Oui, je trouve ça marrant comme
idée.

PELLERIN. — Quelle idée ?

LANDRIEU. — Mettre des clochettes aux cocus.

PELLERIN. — Oh ! merde ! J'entends rien.

> *Il va à l'appareil.*

LANDRIEU, *criant.* — N'éteins pas. (*Pellerin tourne le bouton. Silence.*) Tu vois, tu vois.

PELLERIN, *interdit.* — Qu'est-ce que je vois ?

LANDRIEU. — Le froid.

PELLERIN. — Tu as froid, au mois de juillet ?

LANDRIEU. — Je te dis qu'il fait froid ; tu ne comprends rien.

PELLERIN. — Qu'est-ce que tu me disais ?

LANDRIEU. — Quoi ?

PELLERIN. — A propos de cocus.

LANDRIEU. — Qui te parle de cocus ? Cocu toi-même. (*Un temps.*) Je vais chercher les informations.

> *Il se lève et va au poste de T. S. F.*

CLOCHET. — Il n'y en a pas.

LANDRIEU. — Pas d'informations ?

CLOCHET. — Ce n'est pas l'heure.

LANDRIEU. — C'est ce que nous allons voir !

> *Il empoigne le bouton. Musique, brouillage.*

PELLERIN. — Tu nous casses les oreilles.

LANDRIEU, *s'adressant au poste.* — Salaud ! (*Un temps.*) Je m'en fous, j'écouterai la B. B. C.; quelle longueur d'onde ?

PELLERIN. — Vingt et un mètres.

> *Landrieu manœuvre le bouton : discours en tchèque. Landrieu se met à rire.*

LANDRIEU, *riant.* — C'est du tchèque, tu te rends compte ; en ce moment, il y a un Tchèque qui parle à Londres. C'est grand, le monde. — (*Il*

secoue l'appareil.) Tu ne peux pas causer français ? (*Il éteint le poste.*) Donne-moi à boire. (*Pellerin lui verse un verre de vin. Il va à lui et boit.*)
Qu'est-ce que nous foutons ici ?

PELLERIN. — Ici ou ailleurs...

LANDRIEU. — Je voudrais être au baroud...

PELLERIN. — Hum !

LANDRIEU. — Parfaitement, je voudrais y être.
(*Il le saisit par les bras de sa veste.*) Ne viens
pas me dire que j'ai peur de mourir.

PELLERIN. — Je ne dis rien.

LANDRIEU. — Qu'est-ce que c'est, la mort ?
Hein ? Qu'est-ce que c'est ? D'abord faut qu'on
y passe, demain, après-demain, ou dans trois
mois.

CLOCHET, *vivement*. — Ce n'est pas vrai ! Ce
n'est pas vrai. Les Anglais seront rejetés à la mer.

LANDRIEU. — A la mer ? Tu les auras au cul,
les Anglais. Ici, dans ce village. Et ce sera le
grand boum-boum, le zim-ba-da-boum, pan sur
l'église, pan sur la mairie. Qu'est-ce que tu feras,
Clochet ? Tu seras dans la cave ! Ha ! Ha ! dans
la cave ! on rigolera bien ! (*A Pellerin.*) Une fois
qu'on est mort... j'ai perdu mon idée. Tiens, les
petits malins d'en haut, on va les abattre, eh bien,
ça ne me fait ni chaud ni froid. Chacun son tour.
Voilà ce que je me dis. Aujourd'hui le leur.
Demain le mien. Est-ce que ce n'est pas régulier ?
Je suis régulier, moi. (*Il boit.*) On est des bêtes.
(*A Clochet.*) Pourquoi bâilles-tu ?

CLOCHET. — Je m'ennuie.

LANDRIEU. — Tu n'as qu'à boire. Est-ce que je
m'ennuie ? Tu préfères nous épier, tu rédiges ton

rapport dans la tête. (*Il verse un verre de vin et
le tend à Clochet.*) Bois, allons, bois !

CLOCHET. — Je ne peux pas, j'ai mal au foie.

LANDRIEU. — Tu boiras ce verre ou te le rece-
vras dans la figure. (*Un temps. Clochet avance
la main, prend le verre et boit.*) Ha ! ha ! des
bêtes, tous des bêtes, et c'est très bien comme
ça. (*On entend des pas ; quelqu'un marche au grenier. Ils lèvent tous trois les yeux. Ils écoutent en
silence, puis brusquement Landrieu se détourne,
court à la porte, l'ouvre et appelle.*) Corbier !
Corbier ! (*Un milicien paraît.*) Va les faire taire.
Cogne dedans. (*Le milicien sort, Landrieu referme
la porte et revient vers les autres ; tous trois ont
le nez en l'air et écoutent. Un silence.*) Il faudra
revoir leurs gueules. Sale journée.

PELLERIN. — Vous avez besoin de moi pour les
interroger ?

LANDRIEU. — Comment ?

PELLERIN. — Je pensais que le chef se cache
peut-être en forêt. Je pourrais prendre vingt
hommes et faire une battue.

LANDRIEU, *le regardant.* — Ah ? (*Un temps. On
entend toujours marcher.*) Tu resteras ici.

PELLERIN. — Bon. (*Il hausse les épaules.*) Nous
perdrons notre temps.

LANDRIEU. — Ça se peut, mais nous le perdrons
ensemble.

> *Ils regardent au plafond malgré eux
> et échangent les répliques qui suivent, la
> tête levée, jusqu'à ce que le bruit cesse.*

CLOCHET. — Il est temps de faire descendre le
môme.

Landrieu. — Le môme, je m'en fous. C'est le type que je veux faire parler.

Pellerin. — Ils ne parleront pas.

Landrieu. — Je te dis qu'ils parleront. Ce sont des bêtes, il faut savoir les prendre. Ha ! nous n'avons pas cogné assez fort. (*Bousculade au grenier, puis silence. Landrieu satisfait :*) Qu'est-ce que tu en dis ? Les voilà calmés. Rien ne vaut la manière forte.

                    Visiblement, ils sont soulagés.

Clochet. — Tu devrais tout de même commencer par le petit.

Landrieu. — D'accord. (*Il va à la porte.*) Corbier ! (*Pas de réponse.*) Corbier ! (*Des pas précipités dans le couloir. Corbier paraît.*) Va chercher le môme.

Corbier. — Le môme ? Ils l'ont buté.

Landrieu. — Quoi ?

Corbier. — Ils l'ont buté pendant la nuit. Je l'ai trouvé, la tête sur les genoux de sa sœur. Elle disait qu'il dormait ; il est déjà froid, avec des traces de doigts sur le cou.

Landrieu. — Ah ? (*Un temps.*) Qui est-ce qui marchait ?

Corbier. — Le Grec.

Landrieu. — Bon. Tu peux t'en aller.

          Corbier s'en va. Silence. Clochet lève
          malgré lui la tête vers le plafond.

Pellerin, *explosant.* — Douze balles dans la peau, tout de suite. Qu'on ne le revoie plus.

Landrieu. — Tais-toi ! (*Il va à la radio et tourne le bouton. Valse lente. Puis il revient à la chaire, se verse à boire. Au moment où il repose son verre, il voit le portrait de Pétain.*) Tu vois ça, tu vois ça, mais tu t'en laves les mains. Tu te sacrifies ; tu te donnes à la France, les petits détails, tu t'en fous. Tu es entré dans l'histoire, toi. Et nous, nous sommes dans la merde. Saloperie !

Il lui jette son verre de vin à la figure.

CLOCHET. — Landrieu !

LANDRIEU. — Mets ça dans ton rapport. (*Un temps. Il s'est calmé avec effort. Il revient vers Pellerin.*) Douze balles dans la peau, ce serait trop facile. C'est ce qu'ils souhaitent, comprends-tu ?

PELLERIN. — Tant mieux pour eux, si c'est ce qu'ils souhaitent. Mais qu'on en finisse, et qu'on ne les revoie plus.

LANDRIEU. — Je ne veux pas qu'ils crèvent sans avoir parlé.

PELLERIN. — Ils n'ont plus rien à nous dire. Depuis vingt-quatre heures qu'ils sont là, leur chef a eu tout le temps de se tailler.

LANDRIEU. — Je me fous de leur chef, je veux qu'ils parlent.

PELLERIN. — Et s'ils ne parlent pas ?

LANDRIEU. — Ne te casse pas la tête.

PELLERIN. — Mais tout de même, s'ils ne parlent pas ?

LANDRIEU, *criant.* — Je te dis de ne pas te casser la tête.

PELLERIN. — Eh bien, fais-les chercher.

LANDRIEU. — Naturellement, je vais les faire chercher.

Il ne bouge pas. Clochet se met à rire.

CLOCHET. — Si c'étaient des martyrs, hein ?

Landrieu va brusquement à la porte.

LANDRIEU. — Amène-les.

CORBIER, *paraissant.* — Tous les trois ?

LANDRIEU. — Oui ! tous les trois.

Clochet sort.

PELLERIN. — La fille, tu aurais pu la laisser en haut.

Bruit de pas par-dessus leur tête.

LANDRIEU. — Ils descendent. (*Il va à la radio et l'arrête.*) S'ils donnent leur chef, je leur laisse la vie sauve.

CLOCHET. — Landrieu, tu es fou !

LANDRIEU. — Ta gueule !

CLOCHET. — Ils méritent dix fois la mort.

LANDRIEU. — Je me fous de ce qu'ils méritent. Je veux qu'ils cèdent. Ils ne me feront pas le coup du martyre.

PELLERIN. — Je... écoute, je ne pourrais pas le supporter. Si je devais penser qu'ils vivront, qu'ils nous survivront peut-être et que nous serons toute leur vie ce souvenir dans leur tête...

LANDRIEU. — Tu n'as pas besoin de t'en faire. S'ils parlent pour sauver leur vie, ils éviteront de se rappeler ce genre de souvenir. Les voilà.

Pellerin se lève brusquement et fait disparaître sous la chaise les bouteilles et les verres. Ils attendent tous trois, immobiles et debout.

SCÈNE II

LES MÊMES, LUCIE, HENRI, CANORIS, TROIS MILICIENS

Ils se regardent en silence.

LANDRIEU. — Le petit qui était avec vous, qu'en avez-vous fait ?

Ils ne répondent pas.

PELLERIN. — Assassins !

LANDRIEU. — Tais-toi ! (*Aux autres.*) Il voulait parler, hein ? Et vous, vous avez voulu l'en empêcher.

LUCIE, *violemment.* — Ce n'est pas vrai. Il ne voulait pas parler. Personne ne voulait parler.

LANDRIEU. — Alors ?

HENRI. — Il était trop jeune. Ça ne valait pas la peine de le laisser souffrir.

LANDRIEU. — Qui de vous l'a étranglé ?

CANORIS. — Nous avons décidé ensemble et nous sommes tous responsables.

LANDRIEU. — Bien. (*Un temps.*) Si vous donnez les renseignements qu'on vous demande, vous avez la vie sauve.

CLOCHET. — Landrieu !

LANDRIEU. — Je vous ai dit de vous taire. (*Aux autres.*) Acceptez-vous ? (*Un temps.*) Alors ? C'est oui ou c'est non. (*Ils gardent le silence. Landrieu est décontenancé.*) Vous refusez ? Vous donnez trois vies pour en sauver une ? Quelle absurdité.

(*Un temps.*) C'est la vie que je vous propose ! La vie ! La vie ! Etes-vous sourds ?

> *Un silence, puis Lucie s'avance vers eux.*

LUCIE. — Gagné ! Nous avons gagné ! Ce moment-ci nous paie de bien des choses. Tout ce que j'ai voulu oublier cette nuit, je suis fière de m'en souvenir. Ils m'ont arraché ma robe. (*Montrant Clochet.*) Celui-ci pesait sur mes jambes. (*Montrant Landrieu.*) Celui-ci me tenait les bras. (*Montrant Pellerin.*) Et celui-ci m'a prise de force. Je peux le dire à présent, je peux le crier : vous m'avez violée et vous en avez honte. Je suis lavée. Où sont vos pinces et vos tenailles ? Où sont vos fouets ? Ce matin vous nous suppliez de vivre. Et c'est non. Non ! Il faut que vous finissiez votre affaire.

PELLERIN. — Assez ! Assez ! Cognez dessus !

LANDRIEU. — Arrêtez ! Pellerin, je ne serai peut-être plus longtemps votre chef, mais tant que je commanderai, on ne discutera pas mes ordres. Emmenez-les.

CLOCHET. — On ne les travaille pas un petit peu tout de même ? Parce qu'enfin tout ça ce sont des mots. Rien que des mots. Du vent. (*Désignant Henri.*) Ce type-là nous est arrivé tout faraud hier et nous l'avons fait crier comme une femme.

HENRI. — Vous verrez si vous me faites crier aujourd'hui.

LANDRIEU. — Travaille-les si tu en as le courage.

CLOCHET. — Oh moi ! tu sais, même si c'étaient des martyrs, ça ne me gênerait pas. J'aime le tra-

vail pour lui-même. (*Aux miliciens.*) Conduisez-
les sur les tables.

CANORIS. — Un moment. Si nous acceptons,
qu'est-ce qui nous prouve que vous nous laisserez
la vie ?

LANDRIEU. — Vous avez ma parole.

CANORIS. — Oui. Enfin, il faudra s'en conten-
ter. C'est pile ou face. Que ferez-vous de nous ?

LANDRIEU. — Je vous remettrai aux autorités
allemandes.

CANORIS. — Qui nous fusilleront.

LANDRIEU. — Non. Je leur expliquerai votre
cas.

CANORIS. — Bien. (*Un temps.*) Je suis disposé
à parler si mes camarades le permettent.

HENRI. — Canoris !

CANORIS. — Puis-je rester seul avec eux ? Je
crois que je pourrai les convaincre.

LANDRIEU, *le dévisageant.* — Pourquoi veux-tu
parler ? Tu as peur de mourir ?

> *Un long silence, puis Canoris baisse
> la tête.*

CANORIS. — Oui.

LUCIE. — Lâche !

LANDRIEU. — Bon. (*Aux miliciens.*) Toi, mets-
toi devant la fenêtre. Et toi, garde la porte.
Venez, vous autres. Tu as un quart d'heure pour
les décider.

> *Landrieu, Pellerin et Clochet sortent
> par la porte de fond.*

SCÈNE III

CANORIS, LUCIE, HENRI

*Pendant toute la première partie de la
scène, Lucie demeure silencieuse et paraît
ne pas s'intéresser au débat.*

CANORIS *va jusqu'à la fenêtre et revient. Il
revient vers eux et, d'une voix vive et basse. —*
Le soleil se couche. Il va pleuvoir.
Êtes-vous fous ? Vous me regardez comme s'il
s'agissait de livrer notre chef. Je veux simplement
les envoyer à la grotte de Servaz, comme Jean
nous l'a conseillé. (*Un temps. Il sourit.*) Ils nous
ont un peu abîmés, mais nous sommes encore
parfaitement utilisables. (*Un temps.*) Allons ! il
faut parler : on ne peut pas gaspiller trois vies.
(*Un temps. Doucement.*) Pourquoi voulez-vous
mourir ? A quoi cela sert-il ? Mais répondez ! A
quoi cela sert-il ?

HENRI. — A rien.

CANORIS. — Alors ?

HENRI. — Je suis fatigué.

CANORIS. — Je le suis encore davantage. J'ai
quinze ans de plus que toi et ils m'ont travaillé
plus dur. La vie qu'ils me laisseront n'a rien de
bien enviable.

HENRI, *doucement*. — Est-ce que tu as une telle
peur de la mort ?

CANORIS. — Je n'ai pas peur. Je leur ai menti

tout à l'heure et je n'ai pas peur. Mais nous
n'avons pas le droit de mourir pour rien.

Henri. — Ah ! pourquoi pas ? Pourquoi pas ?
Ils m'ont brisé les poignets, ils m'ont arraché la
peau : est-ce que je n'ai pas payé ? Nous avons
gagné. Pourquoi veux-tu que je recommence à
vivre quand je veux mourir d'accord avec moi-
même ?

Canoris. — Il y a des copains à aider.

Henri. — Quels copains ? Où ?

Canoris. — Partout.

Henri. — Tu parles ! S'ils nous font grâce, ils
nous enverront dans les mines de sel.

Canoris. — Eh bien, on s'évade.

Henri. — Toi, tu t'évaderas ? Tu n'es plus
qu'une loque.

Canoris. — Si ce n'est pas moi, ce sera toi.

Henri. — Une chance sur cent.

Canoris. — Ça vaut qu'on prenne le risque. Et
même si on ne s'évade pas, il y a d'autres hommes
dans les mines : des vieux qui sont malades, des
femmes qui ne tiennent pas le coup. Ils ont besoin
de nous.

Henri. — Écoute, quand j'ai vu le petit par
terre, tout blanc, j'ai pensé : ça va, j'ai fait ce
que j'ai fait et je ne regrette rien. Seulement,
bien sûr, c'était dans la supposition que j'allais
mourir à l'aube. Si je n'avais pas pensé qu'on
serait six heures plus tard sur le même tas de
fumier... (*Criant.*) Je ne veux pas lui survivre. Je
ne veux pas survivre trente ans à ce môme. Canoris, ce sera si facile : nous n'aurons même pas le
temps de regarder les canons de leurs fusils.

CANORIS. — Nous n'avons pas le droit de mourir pour rien.

HENRI. — Est-ce que ça garde un sens de vivre
quand il y a des hommes qui vous tapent dessus
jusqu'à vous casser les os ? Tout est noir. (*Il
regarde par la fenêtre.*) Tu as raison, la pluie va
tomber.

CANORIS. — Le ciel s'est entièrement couvert.
Ce sera une bonne averse.

HENRI, *brusquement.* — C'était par orgueil.

CANORIS. — Quoi ?

HENRI. — Le petit. Je crois que je l'ai tué par
orgueil.

CANORIS. — Qu'est-ce que ça peut faire : il
fallait qu'il meure.

HENRI. — Je traînerai ce doute comme un bou-
let. A toutes les minutes de ma vie, je m'inter-
rogerai sur moi-même. (*Temps.*) Je ne peux pas !
Je ne peux pas vivre.

CANORIS. — Que d'histoires ! Tu auras assez à
faire avec les autres, va ; tu t'oublieras... tu t'occupes trop de toi, Henri ; tu veux sauver ta vie...
Bah ! Il faut travailler ; on se sauve par-dessus le
marché. (*Un temps.*) Écoute, Henri : si tu meurs
aujourd'hui, on tire le trait : tu l'as tué par
orgueil, c'est fixé, pour toujours. Si tu vis...

HENRI. — Eh bien ?

CANORIS. — Alors rien n'est arrêté : c'est sur
ta vie entière qu'on jugera chacun de tes actes.
(*Un temps.*) Si tu te laisses tuer quand tu peux
travailler encore, il n'y aura rien de plus absurde
que ta mort. (*Un temps.*) Je les appelle ?

HENRI, *désignant Lucie.* — Qu'elle décide.

CANORIS. — Tu entends, Lucie ?

LUCIE. — Décider quoi ? Ah oui : eh bien, c'est tout décidé : dis-leur que nous ne parlerons pas et qu'ils fassent vite.

CANORIS. — Et les copains, Lucie ?

LUCIE. — Je n'ai plus de copains. (*Elle va vers les miliciens.*) Allez les chercher : nous ne parlerons pas.

CANORIS, *la suivant, aux miliciens.* — Il reste cinq minutes. Attendez.

Il la ramène sur le devant de la scène.

LUCIE. — Cinq minutes ; oui. Et qu'espères-tu ? Me convaincre en cinq minutes ?

CANORIS. — Oui.

LUCIE. — Cœur pur ! Tu peux bien vivre, toi, tu as la conscience tranquille, ils t'ont un peu bousculé, voilà tout. Moi, ils m'ont avilie, il n'y a pas un pouce de ma peau qui ne me fasse horreur. (*A Henri.*) Et toi, qui fais des manières parce que tu as étranglé un môme, te rappelles-tu que ce môme était mon frère et que je n'ai rien dit ? J'ai pris tout le mal sur moi ; il faut qu'on me supprime et tout ce mal avec.

Allez-vous-en ! Allez vivre, puisque vous pouvez vous accepter. Moi, je me hais et je souhaite qu'après ma mort tout soit sur terre comme si je n'avais jamais existé.

HENRI. — Je ne te quitterai pas, Lucie, et je ferai ce que tu auras décidé.

Un temps.

CANORIS. — Il faut donc que je vous sauve malgré vous.

LUCIE. — Tu parleras ?

CANORIS. — Il le faut.

LUCIE, *violemment.* — Je leur dirai que tu

mens et que tu as tout inventé. (*Un temps.*) Si
j'avais su que tu allais manger le morceau,
crois-tu que je vous aurais laissés toucher à mon
frère ?

CANORIS. — Ton frère voulait livrer notre chef
et moi je veux les lancer sur une fausse piste.

LUCIE. — C'est la même chose. Il y aura le
même triomphe dans leurs yeux.

CANORIS. — Lucie ! C'est donc par orgueil que
tu as laissé mourir François ?

LUCIE. — Tu perds ton temps. A moi, tu n'ar-
riveras pas à donner des remords.

UN MILICIEN. — Il reste deux minutes.

CANORIS. — Henri !

HENRI. — Je ferai ce qu'elle aura décidé.

CANORIS, *à Lucie*. — Pourquoi te soucies-tu de
ces hommes ? Dans six mois ils se terreront dans
une cave et la première grenade qu'on jettera sur
eux par un soupirail mettra le point final à toute
cette histoire. C'est tout le reste qui compte. Le
monde et ce que tu fais dans le monde, les
copains et ce que tu fais pour eux.

LUCIE. — Je suis sèche, je me sens seule, je
ne peux penser qu'à moi.

CANORIS, *doucement*. — Est-ce que tu ne
regrettes vraiment rien sur terre ?

LUCIE. — Rien. Tout est empoisonné.

CANORIS. — Alors...

> *Geste résigné. Il fait un pas vers les
> miliciens. La pluie se met à tomber ; par
> gouttes légères et espacées d'abord, puis
> par grosses gouttes pressées.*

LUCIE, *vivement*. — Qu'est-ce que c'est ? (*A
voix basse et lente.*) La pluie. (*Elle va jusqu'à la*

fenêtre et regarde tomber la pluie. Un temps.) Il y a trois mois que je n'avais entendu le bruit de la pluie. (*Un temps.*) Mon Dieu, pendant tout ce temps, il a fait beau, c'est horrible. Je ne me rappelais plus, je croyais qu'il fallait toujours vivre sous le soleil. (*Un temps.*) Elle tombe fort, ça va sentir la terre mouillée. (*Ses lèvres se mettent à trembler.*) Je ne veux pas... je ne veux pas...

> *Henri et Canoris viennent près d'elle.*

HENRI. — Lucie !

LUCIE. — Je ne veux pas pleurer, je deviendrais comme une bête. (*Henri la prend dans ses bras.*) Lâchez-moi ! (*Criant.*) J'aimais vivre, j'aimais vivre !

> *Elle sanglote sur l'épaule d'Henri.*

LE MILICIEN, *s'avançant.* — Alors ? C'est l'heure.

CANORIS, *après un regard à Lucie.* — Va dire à tes chefs que nous allons parler.

> *Le milicien sort. Un temps.*

LUCIE, *se reprenant.* — C'est vrai ? Nous allons vivre ? J'étais déjà de l'autre côté... Regardez-moi. Souriez-moi. Il y a si longtemps que je n'ai vu de sourire... Est-ce que nous faisons bien, Canoris ? Est-ce que nous faisons bien ?

CANORIS. — Nous faisons bien. Il faut vivre. (*Il avance vers un milicien.*) Va dire à tes chefs que nous allons parler.

> *Le milicien sort.*

SCÈNE IV

LES MÊMES, LANDRIEU, PELLERIN,
CLOCHET

Landrieu. — Eh bien ?

Canoris. — Sur la route de Grenoble, à la borne 42, prenez le sentier à main droite. Au bout de cinquante mètres en forêt vous trouverez un taillis et derrière le taillis une grotte. Le chef est caché là avec des armes.

Landrieu, *aux miliciens.* — Dix hommes. Qu'ils partent aussitôt. Tâchez de le ramener vivant. (*Un temps.*) Reconduisez les prisonniers là-haut.

> *Les miliciens font sortir les prison-*
> *niers. Clochet hésite un instant, puis se*
> *glisse derrière eux.*

SCÈNE V

LANDRIEU, PELLERIN, puis CLOCHET

Pellerin. — Tu crois qu'ils ont dit la vérité ?

Landrieu. — Naturellement. C'est des bêtes. (*Il s'assied au bureau.*) Eh bien ? On a fini par les avoir. Tu as vu leur sortie ? Ils étaient moins

fiers qu'à l'entrée. (*Clochet rentre. Aimablement.*)
Alors, Clochet ? On les a eus ?

CLOCHET, *se frottant les mains d'un air distrait.*
— Oui, oui ; on les a eus.

PELLERIN, *à Landrieu.* — Tu les laisses vivre ?

LANDRIEU. — Oh ! de toute façon, à présent...
(*Salve sous les fenêtres.*) Qu'est-ce que... ? (*Clochet rit d'un air confus derrière sa main.*) Clochet, tu n'as pas...

> *Clochet fait signe que oui en riant toujours.*

CLOCHET. — J'ai pensé que c'était plus humain.

LANDRIEU. — Salaud !

> *Deuxième salve, il court à la fenêtre.*

PELLERIN. — Laisse donc, va, jamais deux sans trois.

LANDRIEU. — Je ne veux pas...

PELLERIN. — On aurait bonne mine aux yeux du survivant.

CLOCHET. — Dans un instant, personne ne pensera plus rien de tout ceci. Personne d'autre que nous.

> *Troisième salve. Landrieu tombe assis.*

LANDRIEU. — Ouf !

> *Clochet va à la radio et tourne les boutons. Musique.*

Rideau.

LA PUTAIN RESPECTUEUSE

Pièce en un acte et deux tableaux

A Michel et à Zette Leiris

LA PUTAIN RESPECTUEUSE

a été représentée pour la première fois au
Théâtre Antoine (*Direction Simone Berriau*)
le 8 novembre 1946.

★

DISTRIBUTION

LIZZIE	Héléna Bossis.
LE NÈGRE	Habib Benglia.
FRED	Yves Vincent.
JOHN	Roland Bailly.
JAMES	Michel Jourdan.
LE SÉNATEUR	Robert Moor.
1ᵉʳ HOMME	Eugène Durand.
2ᵉ HOMME..................	Maïk.
3ᵉ HOMME..................	Claude Régy.

★

Décor : Une chambre meublée quelque part dans
le Sud des États-Unis.

PREMIER TABLEAU

Une chambre dans une ville américaine du Sud.
Murs blancs. Un divan. A droite, une fenêtre, à
gauche une porte (salle de bains). Au fond, une
petite antichambre donnant sur la porte d'entrée.

SCÈNE PREMIÈRE

LIZZIE, puis LE NÈGRE

> *Avant que le rideau se lève, bruit de*
> *tempête sur la scène. Lizzie est seule, en*
> *chemise, elle manœuvre l'aspirateur. On*
> *sonne. Elle hésite, regarde vers la porte*
> *de la salle de bains. On sonne à nouveau.*
> *Elle arrête l'aspirateur et va entrouvrir*
> *la porte de la salle de bains.*

LIZZIE, *à mi-voix.* — On sonne, ne te montre
pas. (*Elle va ouvrir. Le nègre apparaît dans le*
cadre de la porte. C'est un gros et grand nègre à
cheveux blancs. Il se tient raide.) Qu'est-ce que
c'est ? Vous devez vous tromper d'adresse. (*Un*

18

temps.) Mais qu'est-ce que vous voulez ? Parlez
donc.

Le nègre, *suppliant.* — S'il vous plaît, madame, s'il vous plaît.

Lizzie. — De quoi ? (*Elle le regarde mieux.*)
Attends. C'est toi qui étais dans le train ? Tu as
pu leur échapper ? Comment as-tu trouvé mon
adresse ?

Le nègre. — Je l'ai cherchée, madame. Je l'ai
cherchée partout. (*Il fait un geste pour entrer.*)
S'il vous plaît !

Lizzie. — N'entre pas. J'ai quelqu'un. Mais
qu'est-ce que tu veux ?

Le nègre. — S'il vous plaît.

Lizzie. — Mais quoi ? quoi ? tu veux de l'argent ?

Le nègre. — Non, madame. (*Un temps.*) S'il
vous plaît, dites-lui que je n'ai rien fait.

Lizzie. — A qui ?

Le nègre. — Au juge. Dites-le-lui, madame.
S'il vous plaît, dites-le-lui.

Lizzie. — Je ne dirai rien du tout.

Le nègre. — S'il vous plaît.

Lizzie. — Rien du tout. J'ai assez d'embête-
ments dans ma propre vie, je ne veux pas m'ap-
puyer ceux des autres. Va-t'en.

Le nègre. — Vous savez que je n'ai rien fait.
Est-ce que j'ai fait quelque chose ?

Lizzie. — Tu n'as rien fait. Mais je n'irai pas
chez le juge. Les juges et les flics, je les rends
par les trous de nez.

Le nègre. — J'ai quitté ma femme et mes
enfants, j'ai tourné en rond toute la nuit. Je n'en
peux plus.

LIZZIE. — Quitte la ville.

LE NÈGRE. — Ils guettent dans les gares.

LIZZIE. — Qui est-ce qui guette ?

LE NÈGRE. — Les blancs.

LIZZIE. — Quels blancs ?

LE NÈGRE. — Tous les blancs. Vous n'êtes pas sortie ce matin ?

LIZZIE. — Non.

LE NÈGRE. — Il y a beaucoup de gens dans les rues. Des jeunes et des vieux ; ils s'abordent sans se connaître.

LIZZIE. — Qu'est-ce que ça veut dire ?

LE NÈGRE. — Ça veut dire qu'il ne me reste plus qu'à courir en rond jusqu'à ce qu'ils m'attrapent. Quand des blancs qui ne se connaissent pas se mettent à parler entre eux, il y a un nègre qui va mourir. (*Un temps.*) Dites que je n'ai rien fait, madame. Dites-le au juge ; dites-le aux gens du journal. Peut-être qu'ils l'imprimeront. Dites-le, madame, dites-le ! dites-le !

LIZZIE. — Ne crie pas. J'ai quelqu'un. (*Un temps.*) Pour le journal, n'y compte pas. C'est pas le moment de me faire remarquer. (*Un temps.*) S'ils me forcent à témoigner, je te promets de dire la vérité.

LE NÈGRE. — Vous leur direz que je n'ai rien fait ?

LIZZIE. — Je leur dirai.

LE NÈGRE. — Vous me le jurez, madame ?

LIZZIE. — Oui, oui.

LE NÈGRE. — Sur le bon Dieu qui nous voit.

LIZZIE. — Oh ! va te faire foutre. Je te le promets, ça doit te suffire. (*Un temps.*) Mais va-t'en ! Va-t'en donc !

LE NÈGRE, *brusquement.* — S'il vous plaît, cachez-moi.

LIZZIE. — Te cacher ?

LE NÈGRE. — Vous ne voulez pas, madame ? Vous ne voulez pas ?

LIZZIE. — Te cacher ! Moi ? Tiens. (*Elle lui claque la porte au nez.*) Pas d'histoires. (*Elle se tourne vers la salle de bains.*) Tu peux sortir.

> *Fred sort en bras de chemise, sans col ni cravate.*

SCÈNE II

LIZZIE, FRED

FRED. — Qu'est-ce que c'était ?

LIZZIE. — C'était rien.

FRED. — Je croyais que c'était la police.

LIZZIE. — La police ? Tu as quelque chose à faire avec la police ?

FRED. — Moi, non. Je croyais que c'était pour toi.

LIZZIE, *offensée.* — Dis donc ! Je n'ai jamais pris un sou à personne !

FRED. — Et tu n'as jamais eu affaire à la police ?

LIZZIE. — Pas pour des vols, en tout cas.

> *Elle s'active avec l'aspirateur. Bruit de tempête.*

FRED, *agacé par le bruit.* — Ha !

Lizzie, *criant pour se faire entendre.* — Qu'est-ce qu'il y a, mon chéri ?

Fred, *criant.* — Tu me casses les oreilles.

Lizzie, *criant.* — J'ai bientôt fini. (*Un temps.*) Je suis comme ça.

Fred, *criant.* — Comment ?

Lizzie, *criant.* — Je te dis que je suis comme ça.

Fred, *criant.* — Comme quoi ?

Lizzie, *criant.* — Comme ça. Le lendemain matin, c'est plus fort que moi : il faut que je prenne un bain et que je passe l'aspirateur.

                    Elle abandonne l'aspirateur.

Fred, *désignant le lit.* — Pendant que tu y es, couvre ça.

Lizzie. — Quoi ?

Fred. — Le lit. Je te dis de le couvrir. Ça sent le péché.

Lizzie. — Le péché ? Où vas-tu chercher ce que tu dis ? Tu es pasteur ?

Fred. — Non. Pourquoi ?

Lizzie. — Tu parles comme la Bible. (*Elle le regarde.*) Non, tu n'es pas pasteur : tu te soignes trop. Fais voir tes bagues. (*Avec admiration.*) Oh, dis donc ! dis donc ! Tu es riche ?

Fred. — Oui.

Lizzie. — Très riche ?

Fred. — Très.

Lizzie. — Tant mieux. (*Elle lui met les bras autour du cou et lui tend ses lèvres.*) Je trouve que c'est mieux pour un homme, d'être riche, ça donne confiance.

        *Il hésite à l'embrasser, puis se dé-
tourne.*

FRED. — Couvre le lit.

LIZZIE. — Bon. Bon, bon ! Je vais le couvrir. (*Elle le couvre et rit toute seule.*) « Ça sent le péché ! » J'aurais pas trouvé ça. Dis donc, c'est *ton* péché, mon chéri. (*Geste de Fred.*) Oui, oui : c'est le mien aussi. Mais j'en ai tant sur la conscience... (*Elle s'assied sur le lit et force Fred à s'asseoir près d'elle.*) Viens. Viens t'asseoir sur *notre* péché. C'était un beau péché, hein ? Un péché mignon. (*Elle rit.*) Mais ne baisse pas les yeux. Est-ce que je te fais peur ? (*Fred la serre brutalement contre lui.*) Tu me fais mal ! Tu me fais mal ! (*Il la lâche.*) Drôle de pistolet ! Tu n'as pas l'air bon. (*Un temps.*) Dis-moi ton petit nom. Tu ne veux pas ? Ça me gêne, tu sais, de ne pas savoir ton petit nom. Ça sera bien la première fois. Le nom de famille, c'est bien rare s'ils le disent, et je les comprends. Mais le petit nom ! Comment veux-tu que je vous distingue les uns des autres si je ne sais pas vos petits noms. Dis-le-moi, dis-le-moi, mon chéri.

FRED. — Non.

LIZZIE. — Alors, tu seras Monsieur sans nom. (*Elle se lève.*) Attends. Je vais finir de ranger. (*Elle déplace quelques objets.*) Là. Là. Tout est en ordre. Les chaises en rond autour de la table : c'est plus distingué. Tu ne connais pas un marchand de gravures ? Je voudrais mettre des images au mur. J'en ai une dans ma malle, une belle. *La Cruche cassée*, ça s'appelle : on voit une jeune fille ; elle a cassé sa cruche, la pauvre. C'est français.

FRED. — Quelle cruche ?

LIZZIE. — Je ne sais pas, moi : sa cruche. Elle

devait avoir une cruche. Je voudrais une vieille
grand'mère pour lui faire pendant. Elle tricote-
rait ou elle raconterait une histoire à ses petits-
enfants. Ah ! je vais tirer les rideaux et ouvrir la
fenêtre. (*Elle le fait.*) Ce qu'il fait beau ! Voilà
une journée qui commence. (*Elle s'étire.*) Ha !
je me sens à mon aise : il fait beau, j'ai pris un
bon bain, j'ai bien fait l'amour ; ce que je suis
bien, ce que je me sens bien ! Viens voir ma vue ;
viens ! J'ai une belle vue. Rien que des arbres,
ça fait riche. Dis donc, j'ai eu du pot : du premier coup j'ai trouvé une chambre dans les beaux
quartiers. Tu ne viens pas ? Tu n'aimes donc pas
ta ville ?

FRED. — Je l'aime de ma fenêtre.

LIZZIE, *brusquement.* — Ça ne porte pas
malheur, au moins, de voir un nègre au réveil ?

FRED. — Pourquoi ?

LIZZIE. — Je... il y en a un qui passe sur le
trottoir d'en face.

FRED. — Ça porte toujours malheur de voir des
nègres. Les nègres, c'est le diable. (*Un temps.*)
Ferme la fenêtre.

LIZZIE. — Tu ne veux pas que j'aère ?

FRED. — Je te dis de fermer la fenêtre. Bon. Et
tire les rideaux. Rallume.

LIZZIE. — Pourquoi ? C'est à cause des nègres ?

FRED. — Imbécile.

LIZZIE. — Il fait un si beau soleil.

FRED. — Pas de soleil ici. Je veux que ta
chambre reste comme elle était cette nuit. Ferme
la fenêtre, je te dis. Le soleil, je le retrouverai
dehors.

Il se lève, va vers elle et la regarde.

LIZZIE, *vaguement inquiète.* — Qu'est-ce qu'il y a ?

FRED. — Rien. Donne-moi ma cravate.

LIZZIE. — Elle est dans la salle de bains. (*Elle sort. Fred ouvre rapidement les tiroirs de la table et fouille. Lizzie rentre avec la cravate.*) La voilà ! Attends. (*Elle lui fait le nœud.*) Tu sais, je ne fais pas souvent le client de passage parce qu'il faut voir trop de figures nouvelles. Mon idéal, ce serait d'être une chère habitude pour trois ou quatre personnes d'un certain âge, un le mardi, un le jeudi, un pour le week-end. Je te dis ça : tu es un peu jeune, mais tu as le genre sérieux, des fois que tu te sentirais tenté. Bon, bon, je dis plus rien. Tu y réfléchiras ! Là ! Là ! Tu es beau comme un astre. Embrasse-moi, mon joli ; embrasse-moi pour la peine. Tu ne veux pas m'embrasser ?

> *Il l'embrasse brusquement et brutalement, puis la repousse.*

Ouf !

FRED. — Tu es le Diable.

LIZZIE. — Hein ?

FRED. — Tu es le Diable.

LIZZIE. — Encore la Bible ! Qu'est-ce qui te prend ?

FRED. — Rien. Je me marrais.

LIZZIE. — Tu as de drôles de façons de te marrer. (*Un temps.*) Tu es content ?

FRED. — Content de quoi ?

LIZZIE, *elle l'imite en souriant.* — Content de quoi ? Que tu es bête, ma petite fille.

FRED. — Ah ! Ah oui... Très content. Très content. Combien veux-tu ?

LIZZIE. — Qui est-ce qui te cause de ça ? Je te demande si tu es content, tu peux bien me répondre gentiment. Qu'est-ce qu'il y a ? Tu n'es pas vraiment content ? Oh ! ça m'étonnerait, tu sais, ça m'étonnerait.

FRED. — Ferme-la.

LIZZIE. — Tu me serrais fort, tellement fort. Et puis tu m'as dit tout bas que tu m'aimais.

FRED. — Tu étais saoule.

LIZZIE. — Non, je n'étais pas saoule.

FRED. — Si, tu étais saoule.

LIZZIE. — Je te dis que non.

FRED. — En tout cas, moi je l'étais. Je ne me rappelle rien.

LIZZIE. — C'est dommage. Je me suis déshabillée dans la salle de bains et quand je suis retournée près de toi, tu es devenu tout rouge, tu ne te rappelles pas ? Même que j'ai dit : « Voilà mon écrevisse. » Tu ne te rappelles pas que tu as voulu éteindre la lumière et que tu m'as aimée dans le noir ? J'ai trouvé ça gentil et respectueux. Tu ne te rappelles pas ?

FRED. — Non.

LIZZIE. — Et quand on jouait aux deux nouveau-nés qui sont dans le même berceau ? Ça, tu te rappelles ?

FRED. — Je te dis de la boucler. Ce qu'on fait la nuit appartient à la nuit. Le jour, on n'en parle pas.

LIZZIE, *avec défi.* — Et si ça me fait plaisir d'en parler ? J'ai bien rigolé, tu sais.

FRED. — Ah ! tu as bien rigolé ! (*Il marche sur elle, lui caresse doucement les épaules et referme ses mains autour de son cou.*) Ça vous fait tou-

jours rigoler quand vous croyez avoir entortillé
un homme. (*Un temps.*) Je l'ai oubliée, ta nuit.
Complètement oubliée. Je revois le dancing, c'est
tout. Le reste, c'est toi qui te le rappelles, toi
seule.

Il lui serre le cou.

LIZZIE. — Qu'est-ce que tu fais ?

FRED. — Je te serre le cou.

LIZZIE. — Tu me fais mal.

FRED. — Toi seule. Si je serrais un tout petit
peu plus, il n'y aurait plus personne au monde
pour se rappeler cette nuit. (*Il la lâche.*) Combien
veux-tu ?

LIZZIE. — Si tu as oublié, c'est que j'ai mal
travaillé. Je ne veux pas que tu paies de l'ouvrage
mal faite.

FRED. — Pas d'histoires : combien ?

LIZZIE. — Écoute donc ; je suis ici depuis avant-
hier, tu es le premier qui me fait visite : au premier je me donne pour rien, ça me portera
bonheur.

FRED. — Je n'ai pas besoin de tes cadeaux.

*Il pose un billet de dix dollars sur la
table.*

LIZZIE. — Je n'en veux pas de ton fafiot, mais
je vais voir à combien tu m'estimes. Attends, que
je devine ! (*Elle prend le billet et ferme les
yeux.*) Quarante dollars ? Non. C'est trop et puis
il y aurait deux billets. Vingt dollars ? Non plus ?
Alors, c'est que c'est plus de quarante dollars.
Cinquante. Cent ? (*Pendant tout ce temps, Fred
la regarde en riant silencieusement.*) Tant pis,
j'ouvre les yeux. (*Elle regarde le billet.*) Tu ne
t'es pas trompé ?

FRED. — Je ne crois pas.

LIZZIE. — Tu sais ce que tu m'as donné ?

FRED. — Oui.

LIZZIE. — Reprends-le. Reprends-le tout de suite. (*Il le refuse du geste.*) Dix dollars ! Dix dollars ! On t'en foutra, des jeunes filles comme moi, pour dix dollars ! Tu les as vues, mes jambes ? (*Elle les lui montre.*) Et mes seins, tu les as vus ? Est-ce que ce sont des seins de dix dollars ? Reprends ton billet et tire-toi, avant que je me fiche en colère. Dix dollars ! Monsieur m'embrassait partout, Monsieur voulait tout le temps recommencer, Monsieur m'a demandé de lui raconter mon enfance ; et, ce matin, Monsieur s'est offert des mauvaises humeurs, il m'a fait la gueule comme s'il me payait au mois : tout ça pour combien ? Pas pour quarante, pas pour trente, pas pour vingt : pour *dix* dollars.

FRED. — Pour une cochonnerie, c'est large.

LIZZIE. — Cochon toi-même ! D'où sors-tu, paysan ? Ta mère devait être une fière traînée, si elle ne t'a pas appris à respecter les femmes.

FRED. — Vas-tu te taire ?

LIZZIE. — Une fière traînée ! Une fière traînée.

FRED, *d'une voix blanche.* — Un conseil, ma petite : ne parle pas trop souvent de leurs mères aux gars de chez nous, si tu ne veux pas te faire étrangler.

LIZZIE, *marchant sur lui.* — Étrangle-moi donc ! Étrangle-moi pour voir !

FRED, *reculant.* — Tiens-toi tranquille. (*Lizzie prend une potiche sur la table dans l'intention évidente de la lui casser sur la tête.*) Voilà dix dollars de plus, mais tiens-toi tranquille. Tiens-toi tranquille ou je te fais boucler !

Lizzie. — Toi, tu me ferais boucler ?

Fred. — Moi.

Lizzie. — Toi ?

Fred. — Moi.

Lizzie. — Ça m'étonnerait.

Fred. — Je suis le fils de Clarke.

Lizzie. — Quel Clarke ?

Fred. — Le sénateur.

Lizzie. — Vraiment ? Et moi je suis la fille de Roosevelt.

Fred. — Tu as vu la tête de Clarke dans les journaux ?

Lizzie. — Oui... Après ?

Fred. — Le voilà. (*Il montre une photo.*) Je suis à côté de lui, il me tient par l'épaule.

Lizzie, *subitement calmée.* — Dis donc ! Ce qu'il est bien, ton père ! Laisse-moi voir.

> *Fred lui arrache la photo des mains.*

Fred. — Ça suffit.

Lizzie. — Ce qu'il est bien. Il a l'air si juste, si sévère ! C'est vrai ce qu'on dit, que sa parole est de miel ? (*Il ne répond pas.*) Le jardin, il est à vous ?

Fred. — Oui.

Lizzie. — Il a l'air si grand. Et les petites sur les fauteuils, ce sont tes sœurs ? (*Il ne répond pas.*) Elle est sur la colline, ta maison ?

Fred. — Oui.

Lizzie. — Alors, le matin, quand tu prends ton breakfast, tu vois toute la ville de ta fenêtre ?

Fred. — Oui.

Lizzie. — Est-ce qu'on sonne la cloche, aux

heures des repas, pour vous appeler ? Tu peux
bien me répondre.

FRED. — On tape sur un gong.

LIZZIE, *extasiée*. — Sur un gong ! Je te comprends pas. Moi, avec une famille pareille et une
pareille maison, faudrait me payer pour que je
découche. (*Un temps.*) Pour ta maman, je m'excuse : j'étais en colère. Est-ce qu'elle est aussi
sur la photo ?

FRED. — Je t'ai défendu de me parler d'elle.

LIZZIE. — Bon, bon. (*Un temps.*) Je peux te
poser une question ? (*Il ne répond pas.*) Si
l'amour te dégoûte, qu'est-ce que tu es venu faire
chez moi ? (*Il ne répond pas. Elle soupire.*)
Enfin ! A tant faire que d'être ici, j'essaierai de
m'habituer à vos manières.

> *Un temps. Fred se donne un coup de
> peigne devant la glace.*

FRED. — Tu viens du Nord ?

LIZZIE. — Oui.

FRED. — De New York ?

LIZZIE. — Qu'est-ce que ça peut te faire ?

FRED. — Tu as parlé de New York tout à
l'heure.

LIZZIE. — Tout le monde peut parler de New
York, ça ne prouve rien.

FRED. — Pourquoi n'es-tu pas restée là-bas ?

LIZZIE. — J'en avais marre.

FRED. — Des ennuis ?

LIZZIE. — Bien sûr : je les attire, il y a des
natures comme ça. Tu vois ce serpent ? (*Elle lui
montre le bracelet.*) Il porte la poisse.

FRED. — Pourquoi le mets-tu ?

LIZZIE. — A présent que je l'ai, il faut que je

le garde. Il paraît que c'est terrible, les ven-
geances de serpent.

FRED. — C'est toi que le nègre a voulu violer ?

LIZZIE. — Quoi ?

FRED. — Tu es arrivée avant-hier par le rapide
de six heures ?

LIZZIE. — Oui.

FRED. — Alors c'est bien toi.

LIZZIE. — Personne n'a voulu me violer. (*Elle
rit avec un peu d'amertume.*) Me violer ! Tu te
rends compte ?

FRED. — C'est toi, Webster me l'a dit hier, au
dancing.

LIZZIE. — Webster ? (*Un temps.*) C'est donc ça !

FRED. — Quoi ?

LIZZIE. — C'est donc ça que tes yeux brillaient.
Ça t'excitait, hein ? Salaud ! Avec un père qui
est si bon.

FRED. — Imbécile ! (*Un temps.*) Si je pensais
que tu as couché avec un noir...

LIZZIE. — Eh bien ?

FRED. — J'ai cinq domestiques de couleur.
Quand on m'appelle au téléphone et que l'un
d'eux décroche l'appareil, il l'essuie avant de me
le tendre.

LIZZIE, *sifflement admiratif.* — Je vois.

FRED, *doucement.* — Nous n'aimons pas beaucoup les nègres, ici. Ni les blanches qui s'amusent
avec eux.

LIZZIE. — Suffit. J'ai rien contre eux, mais je
ne voudrais pas qu'ils me touchent.

FRED. — Est-ce qu'on sait ? Tu es le Diable.
Le nègre aussi est le Diable... (*Brusquement.*)
Alors ? il a voulu te violer ?

LIZZIE. — Mais qu'est-ce que ça peut te faire ?

FRED. — Ils sont montés à deux dans ton compartiment. Au bout d'un moment, ils se sont jetés sur toi. Tu as appelé à l'aide et des blancs sont venus. Un des nègres a tiré son rasoir et un blanc l'a abattu d'un coup de revolver. L'autre nègre s'est sauvé !

LIZZIE. — C'est ce que t'a raconté Webster ?

FRED. — Oui.

LIZZIE. — D'où le savait-il ?

FRED. — Toute la ville en parle.

LIZZIE. — Toute la ville ? C'est bien ma veine. Vous n'avez donc rien d'autre à faire ?

FRED. — Est-ce que les choses se sont passées comme je l'ai dit ?

LIZZIE. — Pas du tout. Les deux nègres se tenaient tranquilles et parlaient entre eux ; il ne m'ont même pas regardée. Après, quatre blancs sont montés et il y en a deux qui m'ont serrée de près. Ils venaient de gagner un match de rugby, ils étaient saouls. Ils ont dit que ça sentait le nègre et ils ont voulu jeter les noirs par la portière. Les autres se sont défendus comme ils ont pu ; à la fin, un blanc a reçu un coup de poing sur l'œil ; c'est là qu'il a sorti son revolver et qu'il a tiré. C'est tout. L'autre nègre a sauté du train comme on arrivait en gare.

FRED. — On le connaît. Il ne perdra rien pour attendre. (*Un temps.*) Quand on t'appellera chez le juge, c'est cette histoire-là que tu vas raconter ?

LIZZIE. — Mais qu'est-ce que ça peut te faire ?

FRED. — Réponds.

LIZZIE. — Je n'irai pas chez le juge. Je te dis que j'ai horreur des complications.

FRED. — Il faudra bien que tu y ailles.

LIZZIE. — Je n'irai pas. Je ne veux plus avoir affaire à la police.

FRED. — Ils viendront te chercher.

LIZZIE. — Alors je dirai ce que j'ai vu.

Un temps.

FRED. — Est-ce que tu te rends bien compte de ce que tu vas faire ?

LIZZIE. — Qu'est-ce que je vais faire ?

FRED. — Tu vas témoigner contre un blanc pour un noir.

LIZZIE. — Si c'est le blanc qui est coupable.

FRED. — Il n'est pas coupable.

LIZZIE. — Puisqu'il a tué, il est coupable.

FRED. — Coupable de quoi ?

LIZZIE. — D'avoir tué !

FRED. — Mais c'est un nègre qu'il a tué.

LIZZIE. — Eh bien ?

FRED. — Si on était coupable chaque fois qu'on tue un nègre...

LIZZIE. — Il n'avait pas le droit.

FRED. — Quel droit ?

LIZZIE. — Il n'avait pas le droit.

FRED. — Il vient du Nord, ton droit. (*Un temps.*) Coupable ou non, tu ne peux pas faire punir un type de ta race.

LIZZIE. — Je ne veux faire punir personne. On me demandera ce que j'ai vu et je le dirai.

Un temps. Fred marche sur elle.

FRED. — Qu'est-ce qu'il y a entre toi et ce nègre ? Pourquoi le protèges-tu ?

LIZZIE. — Je ne le connais même pas.

Fred. — Alors ?

Lizzie. — Je veux dire la vérité !

Fred. — La vérité ! Une putain à dix dollars qui veut dire la vérité ! Il n'y a pas de vérité : il y a des blancs et des noirs, c'est tout. Dix-sept mille blancs, vingt mille noirs. Nous ne sommes pas à New York, ici : nous n'avons pas le droit de rigoler. (*Un temps.*) Thomas est mon cousin.

Lizzie. — Quoi ?

Fred. — Thomas, le type qui a tué : c'est mon cousin.

Lizzie, *saisie*. — Ah ?

Fred. — C'est un homme de bien. Ça ne te dit pas grand'chose ; mais c'est un homme de bien.

Lizzie. — Un homme de bien qui se poussait tout le temps contre moi et qui essayait de relever mes jupes. Passe-moi l'homme de bien ! Ça ne m'étonne pas que vous soyez de la même famille.

Fred, *levant la main*. — Saloperie ! (*Il se contient.*) Tu es le Diable : avec le Diable, on ne peut faire que le mal. Il a relevé tes jupes, il a tiré sur un sale nègre, la belle affaire ; ce sont des gestes qu'on a sans y penser, ça ne compte pas. Thomas est un chef, voilà ce qui compte.

Lizzie. — Ça se peut. Mais le nègre n'a rien fait.

Fred. — Un nègre a toujours fait quelque chose.

Lizzie. — Jamais je ne donnerai un homme aux poulets.

Fred. — Si ce n'est pas lui, ce sera Thomas. De toute façon, tu en donneras un. A toi de choisir.

Lizzie. — Et voilà. Je suis dans la crotte jus-

qu'au cou ; pour changer. (*A son bracelet.*)
Saleté, pourriture, tu n'en fais jamais d'autres !

Elle le jette par terre.

FRED. — Combien veux-tu ?

LIZZIE. — Je ne veux pas un sou.

FRED. — Cinq cents dollars.

LIZZIE. — Pas un sou.

FRED. — Il te faudrait beaucoup plus d'une
nuit pour gagner cinq cents dollars.

LIZZIE. — Surtout si j'ai affaire à des pingres
comme toi. (*Un temps.*) C'est donc pour ça que
tu m'as fait signe hier soir ?

FRED. — Dame.

LIZZIE. — C'est donc pour ça. Tu t'es dit :
voilà la môme, je vais la raccompagner chez elle
et je lui mettrai le marché en main. C'est donc
pour ça ! Tu me tripotais les mains mais tu étais
froid comme la glace, tu pensais : comment que
je vais lui amener ça ? (*Un temps.*) Mais dis
donc ! Mais dis donc, mon petit gars... Si tu es
monté pour me proposer ta combine, tu n'avais
pas besoin de coucher avec moi. Hein ? Pourquoi
as-tu couché avec moi, salaud ? Pourquoi as-tu
couché avec moi ?

FRED. — Du diable si je le sais.

LIZZIE *s'effondre en pleurant sur une chaise.* —
Salaud ! Salaud ! Salaud !

FRED. — Cinq cents dollars ! Ne chiale pas,
bon Dieu ! Cinq cents dollars ! Ne chiale pas !
Ne chiale pas. Allons, Lizzie ! Lizzie ! Sois raisonnable ! Cinq cents dollars !

LIZZIE, *sanglotant.* — Je ne suis pas raisonnable. Je ne veux pas de tes cinq cents dollars,
je ne veux pas faire de faux témoignage ! Je veux

retourner à New York, je veux m'en aller ! Je
veux m'en aller ! (*On sonne. Elle s'arrête net. On
sonne encore une fois. A voix basse.*) Qu'est-ce
que c'est ? Tais-toi. (*Longue sonnerie.*) Je n'ouvrirai pas. Tiens-toi tranquille.

> *Coups dans la porte.*

UNE VOIX. — Ouvrez. Police.

LIZZIE, *à voix basse.* — Les flics. Ça devait
arriver. (*Elle montre le bracelet.*) C'est à cause
de lui. (*Elle se baisse et le remet à son bras.*) Il
vaut encore mieux que je le garde. Cache-toi.

> *Coups dans la porte.*

LA VOIX. — Police !

LIZZIE. — Mais cache-toi donc. Va dans le
cabinet de toilette. (*Il ne bouge pas. Elle le
pousse de toutes ses forces.*) Mais va ! Va donc !

LA VOIX. — Tu es là, Fred ? Fred ? Tu es là ?

FRED. — Je suis là !

> *Il la repousse, elle le regarde avec stu-*
> *peur.*

LIZZIE. — C'était donc pour ça !

> *Fred va ouvrir, John et James entrent.*

SCÈNE III

LES MÊMES, JOHN et JAMES

> *La porte d'entrée reste ouverte.*

JOHN. — Police. Lizzie Mac Kay, c'est toi ?

LIZZIE, *sans l'entendre, continue à regarder
Fred.* — C'était pour ça !

JOHN, *la secouant par l'épaule.* — Réponds quand on te parle.

LIZZIE. — Hein ? Oui, c'est moi.

JOHN. — Tes papiers.

LIZZIE, *elle s'est maîtrisée, durement.* — De quel droit m'interrogez-vous ? Qu'est-ce que vous venez faire chez moi ? (*John montre son étoile.*) N'importe qui peut mettre une étoile. Vous êtes des copains à Monsieur et vous vous êtes entendus pour me faire chanter.

> *John lui met une carte sous le nez.*

JOHN. — Tu connais ça ?

LIZZIE, *montrant James.* — Et lui ?

JOHN, *à James.* — Montre ta carte. (*James la montre. Lizzie la regarde, va à la table sans rien dire, en tire des papiers et les leur donne. Désignant Fred.*) Tu l'as ramené chez toi, hier soir ? Tu sais que la prostitution est un délit ?

LIZZIE. — Vous êtes tout à fait sûrs que vous avez le droit d'entrer chez les gens sans mandat ? Vous ne craignez pas que je vous cause des ennuis ?

JOHN. — T'en fais pas pour nous. (*Un temps.*) On te demande si tu l'as ramené chez toi.

> *Elle a changé, depuis que les policiers sont entrés.*
>
> *Elle est devenue plus dure et plus vulgaire.*

LIZZIE. — Vous cassez pas la tête. Bien sûr, que je l'ai ramené chez moi. Seulement, j'ai fait l'amour gratis. Ça vous la coupe ?

FRED. — Vous trouverez deux billets de dix dollars sur la table. Ils sont à moi.

LIZZIE. — Prouve-le.

FRED, *sans la regarder, aux deux autres.* — Je les ai pris à la banque hier matin, avec vingt-huit autres de la même série. Vous n'aurez qu'à vérifier les numéros.

LIZZIE, *violemment.* — Je les ai refusés. Je les ai refusés, ses sales fafiots. Je les lui ai jetés à la figure.

JOHN. — Si tu les a refusés, comment se trouvent-ils sur la table ?

LIZZIE, *après un silence.* — Je suis faite. (*Elle regarde Fred avec une sorte de stupeur et, d'une voix presque douce.*) C'était donc pour ça ? (*Aux autres.*) Alors ? Qu'est-ce que vous voulez de moi ?

JOHN. — Assieds-toi. (*A Fred.*) Tu l'as mise au courant ? (*Fred fait un signe de tête.*) Je te dis de t'asseoir. (*Il la jette dans un fauteuil.*) Le juge est d'accord pour relâcher Thomas, s'il a ton témoignage écrit. On l'a rédigé pour toi, tu n'as qu'à signer. Demain, on t'interrogera régulièrement. Tu sais lire ? (*Lizzie hausse les épaules, il lui tend un papier.*) Lis et signe.

LIZZIE. — C'est faux d'un bout à l'autre.

JOHN. — Ça se peut. Après ?

LIZZIE. — Je ne signerai pas.

FRED. — Embarquez-la. (*A Lizzie.*) C'est dix-huit mois.

LIZZIE. — Dix-huit mois, oui. Et quand je sortirai, je te ferai la peau.

FRED. — Pas si je peux l'empêcher. (*Ils se regardent.*) Vous devriez télégraphier à New York ; je crois qu'elle a eu des ennuis là-bas.

LIZZIE, *avec admiration.* — Tu es salaud comme

une femme. J'aurais jamais cru qu'un type puisse être aussi salaud.

JOHN. — Décide-toi. Tu signes ou je t'emmène en taule.

LIZZIE. — J'aime mieux la taule. Je ne veux pas mentir.

FRED. — Pas mentir, roulure ! Et qu'est-ce que tu as fait toute la nuit ? Quand tu m'appelais mon chéri, mon amour, mon petit homme, tu ne mentais pas ? Quand tu soupirais, pour me faire croire que je te donnais du plaisir, tu ne mentais pas ?

LIZZIE, *avec défi.* — Ça t'arrangerait, hein ? Non, je ne mentais pas.

> *Ils se regardent. Fred détourne les yeux.*

FRED. — Finissons-en. Voilà mon stylo. Signe.

LIZZIE. — Tu peux te l'accrocher.

> *Un silence. Les trois hommes sont embarrassés.*

FRED. — Et voilà ! Voilà où nous en sommes ! C'est le meilleur de la ville et son sort dépend des caprices d'une môme. (*Il marche de long en large, puis revient brusquement sur Lizzie.*) Regarde-le. (*Il lui montre une photo.*) Tu en as vu des hommes, dans ta chienne de vie. Y en a-t-il beaucoup qui lui ressemblent ? Regarde ce front, regarde ce menton, regarde ses médailles sur son uniforme. Non, non : ne détourne pas les yeux. Va jusqu'au bout : c'est ta victime, il faut que tu la regardes en face. Tu vois comme il a l'air jeune, comme il a l'air fier, comme il est beau ! Sois tranquille, quand il sortira de prison, après dix ans, il sera plus cassé qu'un vieillard, il aura perdu ses cheveux et ses dents. Tu peux être contente, c'est du beau travail. Jusqu'ici, tu chipais l'argent dans les poches ; cette fois, tu as choisi le meilleur et tu lui prends la vie. Tu ne dis rien ? Tu es donc pourrie jusqu'aux os ? (*Il la jette à genoux.*) A genoux, putain ! A genoux devant le portrait de l'homme que tu veux déshonorer !

> *Clarke entre par la porte qu'ils ont laissée ouverte.*

SCÈNE IV

LES MÊMES, plus LE SÉNATEUR

Le sénateur. — Lâche-la. (*A Lizzie.*) Relevez-vous.

Fred. — Hello !

John. — Hello !

Le sénateur. — Hello ! Hello !

John, *à Lizzie.* — C'est le sénateur Clarke.

Le sénateur, *à Lizzie.* — Hello !

Lizzie. — Hello !

Le sénateur. — Bon. Les présentations sont faites. (*Il regarde Lizzie.*) Voilà donc cette jeune fille. Elle a l'air tout à fait sympathique.

Fred. — Elle ne veut pas signer.

Le sénateur. — Elle a parfaitement raison. Vous entrez chez elle sans en avoir le droit. (*Sur un geste de John, avec force.*) Sans en avoir le moindre droit ; vous la brutalisez et vous voulez

la faire parler contre sa conscience. Ce ne sont
pas des procédés américains. Est-ce que le nègre
vous a violentée, mon enfant ?

Lizzie. — Non.

Le sénateur. — Parfait. Voilà qui est clair.
Regardez-moi dans les yeux. (*Il la regarde.*) Je
suis sûr qu'elle ne ment pas. (*Un temps.*) Pauvre
Mary ! (*Aux autres.*) Eh bien, garçons, venez.
Nous n'avons plus rien à faire ici. Il ne nous
reste qu'à nous excuser auprès de Mademoiselle.

Lizzie. — Qui est Mary ?

Le sénateur. — Mary ? C'est ma sœur, la mère
de cet infortuné Thomas. Une pauvre chère vieille
qui va en mourir. Au revoir, mon enfant.

Lizzie. — Sénateur !

Le sénateur. — Mon enfant ?

Lizzie. — Je regrette.

Le sénateur. — Qu'y a-t-il à regretter, puisque
vous avez dit la vérité ?

Lizzie. — Je regrette que ce soit... cette
vérité-là.

Le sénateur. — Nous n'y pouvons rien ni l'un
ni l'autre et personne n'a le droit de vous demander un faux témoignage. (*Un temps.*) Non. Ne
pensez plus à elle.

Lizzie. — A qui ?

Le sénateur. — A ma sœur. Vous ne pensiez
pas à ma sœur ?

Lizzie. — Si.

Le sénateur. — Je vois clair en vous, mon
enfant. Voulez-vous que je vous dise ce qu'il y a
dans votre tête ? (*Imitant Lizzie.*) « Si je signais,
le Sénateur irait la trouver chez elle, il lui dirait :
Lizzie Mac Kay est une bonne fille ; c'est elle qui

te rend ton fils. » Et elle sourirait à travers ses larmes, elle dirait : « Lizzie Mac Kay ? Je n'oublierai pas ce nom-là. » Et moi qui suis sans famille, que le destin a reléguée au ban de la Société, il y aurait une petite vieille toute simple qui penserait à moi dans sa grande maison, il y aurait une mère américaine qui m'adopterait dans son cœur. » Pauvre Lizzie, n'y pensez plus.

LIZZIE. — Elle a les cheveux blancs ?

LE SÉNATEUR. — Tout blancs. Mais le visage est resté jeune. Et si vous connaissiez son sourire... Elle ne sourira plus jamais. Adieu. Demain vous direz la vérité au juge.

LIZZIE. — Vous partez ?

LE SÉNATEUR. — Eh bien, oui : je vais chez elle. Il faut que je lui rapporte notre conversation.

LIZZIE. — Elle sait que vous êtes ici ?

LE SÉNATEUR. — C'est à sa prière que je suis venu.

LIZZIE. — Mon Dieu ! Et elle attend ? Et vous allez lui dire que j'ai refusé de signer. Comme elle va me détester !

LE SÉNATEUR, *lui mettant les mains sur les épaules.* — Ma pauvre enfant, je ne voudrais pas être à votre place.

LIZZIE. — Quelle histoire ! (*A son bracelet.*) C'est toi, saleté, qui es cause de tout.

LE SÉNATEUR. — Comment ?

LIZZIE. — Rien. (*Un temps.*) Au point où en sont les choses, c'est malheureux que le nègre ne m'ait pas violée pour de bon.

LE SÉNATEUR, *ému.* — Mon enfant.

LIZZIE, *tristement.* — Ça vous aurait fait tant

plaisir et à moi ça m'aurait coûté si peu de peine.

LE SÉNATEUR. — Merci ! (*Un temps.*) Comme je voudrais vous aider. (*Un temps.*) Hélas, la vérité est la vérité.

LIZZIE, *tristement.* — Ben oui.

LE SÉNATEUR. — Et la vérité, c'est que le nègre ne vous a pas violée.

LIZZIE, *même jeu.* — Ben oui.

LE SÉNATEUR. — Oui. (*Un temps.*) Bien entendu, il s'agit là d'une vérité du premier degré.

LIZZIE, *sans comprendre.* — Du premier degré...

LE SÉNATEUR. — Oui : je veux dire une vérité... populaire.

LIZZIE. — Populaire ? C'est pas la vérité ?

LE SÉNATEUR. — Si, si, c'est la vérité. Seulement... il y a plusieurs espèces de vérités.

LIZZIE. — Vous pensez que le nègre m'a violée ?

LE SÉNATEUR. — Non. Non, il ne vous a pas violée. D'un certain point de vue, il ne vous a pas violée du tout. Mais voyez-vous, je suis un vieil homme qui a beaucoup vécu, qui s'est souvent trompé et qui, depuis quelques années, se trompe un petit peu moins souvent. Et j'ai sur tout ceci une opinion différente de la vôtre.

LIZZIE. — Mais quelle opinion ?

LE SÉNATEUR. — Comment vous expliquer ? Tenez : imaginons que la Nation américaine vous apparaisse tout à coup. Qu'est-ce qu'elle vous dirait ?

LIZZIE, *effrayée.* — Je suppose qu'elle n'aurait pas grand'chose à me dire.

LE SÉNATEUR. — Vous êtes communiste ?

LIZZIE. — Quelle horreur : non !

LE SÉNATEUR. — Alors, elle a beaucoup à vous

dire. Elle vous dirait : « Lizzie, tu en es arrivée
« à ceci qu'il te faut choisir entre deux de mes
« fils. Il faut que l'un ou l'autre disparaisse. Que
« fait-on dans des cas pareils ? On garde le meil-
« leur. Eh bien, cherchons quel est le meilleur.
« Veux-tu ? »

Lizzie. — Je veux bien. Oh, pardon ! je croyais
que c'était vous qui parliez.

Le sénateur. — Je parle en son nom. (*Il
reprend.*) « Lizzie, ce nègre que tu protèges, à
« quoi sert-il ? Il est né au hasard, Dieu sait où.
« Je l'ai nourri et lui, que fait-il pour moi en
« retour ? Rien du tout, il traîne, il chaparde, il
« chante, il s'achète des complets rose et vert.
« C'est mon fils et je l'aime à l'égal de mes autres
« fils. Mais je te le demande : est-ce qu'il mène
« une vie d'homme ? Je ne m'apercevrai même
« pas de sa mort. »

Lizzie. — Ce que vous parlez bien.

Le sénateur, *enchaînant.* — « L'autre, au con-
« traire, ce Thomas, il a tué un noir, c'est très
« mal. Mais j'ai besoin de lui. C'est un Améri-
« cain cent pour cent, le descendant d'une de nos
« plus vieilles familles, il a fait ses études à Har-
« vard, il est officier — il me faut des officiers —
« il emploie deux mille ouvriers dans son usine
« — deux mille chômeurs s'il venait à mourir —
« c'est un chef, un solide rempart contre le com-
« munisme, le syndicalisme et les Juifs. Il a le
« devoir de vivre et toi tu as le devoir de lui
« conserver la vie. C'est tout. A présent, choi-
« sis. »

Lizzie. — Ce que vous parlez bien.

Le sénateur. — Choisis !

LIZZIE, *sursautant*. — Hein ? Ah oui... (*Un temps.*) Vous m'avez embrouillée, je ne sais plus où j'en suis.

LE SÉNATEUR. — Regardez-moi, Lizzie. Avez-vous confiance en moi ?

LIZZIE. — Oui, Sénateur.

LE SÉNATEUR. — Croyez-vous que je peux vous conseiller une mauvaise action ?

LIZZIE. — Non, Sénateur.

LE SÉNATEUR. — Alors il faut signer. Voilà ma plume.

LIZZIE. — Vous croyez qu'elle sera contente de moi ?

LE SÉNATEUR. — Qui ?

LIZZIE. — Votre sœur.

LE SÉNATEUR. — Elle vous aimera de loin comme sa fille.

LIZZIE. — Peut-être qu'elle m'enverra des fleurs ?

LE SÉNATEUR. — Peut-être bien.

LIZZIE. — Ou sa photo avec un autographe.

LE SÉNATEUR. — C'est bien possible.

LIZZIE. — Je la mettrai au mur. (*Un temps. Elle marche avec agitation.*) Quelle histoire ! (*Revenant sur le sénateur.*) Qu'est-ce que vous lui ferez, au nègre, si je signe ?

LE SÉNATEUR. — Au nègre ? Bah ! (*Il la prend par les épaules.*) Si tu signes, toute la ville t'adopte. Toute la ville. Toutes les mères de la ville.

LIZZIE. — Mais...

LE SÉNATEUR. — Est-ce que tu crois qu'une ville tout entière peut se tromper ? Une ville tout entière, avec ses pasteurs et ses curés, avec ses

médecins, ses avocats et ses artistes, avec son
maire et ses adjoints et ses associations de bien-
faisance. Est-ce que tu le crois ?

LIZZIE. — Non. Non. Non.

LE SÉNATEUR. — Donne-moi ta main. (*Il la
force à signer.*) Voilà. Je te remercie au nom de
ma sœur et de mon neveu, au nom des dix-sept
mille blancs de notre ville, au nom de la nation
américaine que je représente en ces lieux. Ton
front. (*Il la baise au front.*) Venez, vous autres.
(*A Lizzie.*) Je te reverrai dans la soirée : nous
avons encore à parler.

Il sort.

FRED, *sortant.* — Adieu, Lizzie.

LIZZIE. — Adieu. (*Ils sortent. Elle reste écrasée, puis se précipite vers la porte.*) Sénateur !
Sénateur ! Je ne veux pas ! Déchirez le papier !
Sénateur ! (*Elle revient sur la scène, prend l'aspirateur machinalement.*) La nation américaine !
(*Elle met le contact.*) J'ai comme une idée qu'ils
m'ont roulée !

Elle manœuvre l'aspirateur avec rage.

Rideau.

DEUXIÈME TABLEAU

Même décor, douze heures plus tard. Les lampes sont allumées, les fenêtres sont ouvertes sur la nuit. Rumeurs qui vont en croissant. Le nègre paraît à la fenêtre, enjambe l'entablement et saute dans la pièce déserte. Il va jusqu'au milieu de la scène. On sonne. Il se cache derrière un rideau. Lizzie sort de la salle de bains, va jusqu'à la porte d'entrée, ouvre.

SCÈNE PREMIÈRE

LIZZIE, LE SÉNATEUR, LE NÈGRE caché

LIZZIE. — Entrez ! (*Le Sénateur entre.*) Alors ?

LE SÉNATEUR. — Thomas est dans les bras de sa mère. Je viens vous porter leurs remerciements.

LIZZIE. — Elle est heureuse ?

LE SÉNATEUR. — Tout à fait heureuse.

LIZZIE. — Elle a pleuré ?

LE SÉNATEUR. — Pleuré ? Pourquoi ? C'est une femme forte.

LIZZIE. — Vous m'aviez dit qu'elle pleurerait.

LE SÉNATEUR. — C'était une façon de parler.

LIZZIE. — Elle ne s'y attendait pas, hein ? Elle croyait que j'étais une mauvaise femme et que je témoignerais pour le nègre.

LE SÉNATEUR. — Elle s'était remise entre les mains de Dieu.

LIZZIE. — Qu'est-ce qu'elle pense de moi ?

LE SÉNATEUR. — Elle vous remercie.

LIZZIE. — Elle n'a pas demandé comment j'étais faite ?

LE SÉNATEUR. — Non.

LIZZIE. — Elle trouve que je suis une bonne fille ?

LE SÉNATEUR. — Elle pense que vous avez fait votre devoir.

LIZZIE. — Ah oui ?...

LE SÉNATEUR. — Elle espère que vous continuerez à le faire.

LIZZIE. — Oui, oui...

LE SÉNATEUR. — Regardez-moi, Lizzie. (*Il la prend par les épaules.*) Vous continuerez à le faire ? Vous ne voudriez pas la décevoir ?

LIZZIE. — Ne vous frappez pas. Je ne peux plus revenir sur ce que j'ai dit, ils me colleraient en taule. (*Un temps.*) Qu'est-ce que c'est que ces cris ?

LE SÉNATEUR. — Ce n'est rien.

LIZZIE. — Je ne peux plus les supporter. (*Elle va fermer la fenêtre.*) Sénateur ?

LE SÉNATEUR. — Mon enfant ?

LIZZIE. — Vous êtes sûr que nous ne nous sommes pas trompés, que j'ai fait ce que je devais ?

LE SÉNATEUR. — Absolument sûr.

LIZZIE. — Je ne m'y reconnais plus ; vous m'avez embrouillée ; vous pensez trop vite pour moi. Quelle heure est-il ?

LE SÉNATEUR. — Onze heures.

LIZZIE. — Encore huit heures avant le jour. Je sens que je ne pourrai pas fermer l'œil. (*Un temps.*) Les nuits sont aussi chaudes que les journées. (*Un temps.*) Et le nègre ?

LE SÉNATEUR. — Quel nègre ? Ah ! eh bien, on le cherche.

LIZZIE. — Qu'est-ce qu'on lui fera ? (*Le Sénateur hausse les épaules, les cris augmentent. Lizzie va à la fenêtre.*) Mais qu'est-ce que c'est que ces cris ? Il y a des hommes qui passent avec des torches électriques et des chiens. C'est une retraite aux flambeaux ? Ou bien... Dites-moi ce que c'est, Sénateur ! Dites-moi ce que c'est !

LE SÉNATEUR, *tirant une lettre de sa poche.* — Ma sœur m'a chargé de vous remettre ceci.

LIZZIE, *vivement.* — Elle m'a écrit ? (*Elle déchire l'enveloppe, en tire un billet de cent dollars, fouille pour trouver une lettre, n'en trouve pas, froisse l'enveloppe et la jette à terre. Sa voix change.*) Cent dollars. Vous devez être content : votre fils m'en avait promis cinq cents, vous faites une belle économie.

LE SÉNATEUR. — Mon enfant.

LIZZIE. — Vous remercierez madame votre sœur. Vous lui direz que j'aurais préféré une potiche ou des bas nylon, quelque chose qu'elle se serait donné la peine de choisir. Mais c'est

l'intention qui compte, n'est-ce pas ? (*Un temps.*)
Vous m'avez bien eue.

> *Ils se regardent. Le Sénateur se rap-
> proche.*

Le sénateur. — Je vous remercie, mon enfant ;
nous causerons un peu seul à seule. Vous traver-
sez une crise morale et vous avez besoin de mon
appui.

Lizzie. — J'ai surtout besoin de fric mais je
pense qu'on s'arrangera, vous et moi. (*Un temps.*)
Jusqu'ici, je préférais les vieux parce qu'ils ont
l'air respectable, mais je commence à me demander s'ils ne sont pas encore plus chinois que les
autres.

Le sénateur, *égayé.* — Chinois ! Je voudrais
que mes collègues vous entendent. Quel naturel
délicieux ! Il y a quelque chose en vous que vos
désordres n'ont pas entamé ! (*Il la caresse.*) Oui.
Oui. Quelque chose. (*Elle se laisse faire, passive
et méprisante.*) Je reviendrai, ne m'accompagnez
pas.

> *Il sort. Lizzie reste figée sur place.
> Mais elle prend le billet, le froisse, le
> jette par terre, se laisse tomber sur une
> chaise et éclate en sanglots. Dehors, les
> hurlements se rapprochent. Coups de feu
> dans le lointain. Le nègre sort de sa
> cachette. Il se plante devant elle. Elle
> lève la tête et pousse un cri.*

SCÈNE II

LIZZIE, LE NÈGRE

LIZZIE. — Ha ! (*Un temps. Elle se lève.*) J'étais sûre que tu viendrais. J'en étais sûre. Par où es-tu entré ?

LE NÈGRE. — Par la fenêtre.

LIZZIE. — Qu'est-ce que tu veux ?

LE NÈGRE. — Cachez-moi.

LIZZIE. — Je t'ai dit que non.

LE NÈGRE. — Vous les entendez, madame ?

LIZZIE. — Oui.

LE NÈGRE. — C'est la chasse qui a commencé.

LIZZIE. — Quelle chasse ?

LE NÈGRE. — La chasse au nègre.

LIZZIE. — Ha ! (*Un long temps.*) Tu es sûr qu'ils ne t'ont pas vu entrer ?

LE NÈGRE. — Sûr.

LIZZIE. — Qu'est-ce qu'ils te feront, s'ils te prennent ?

LE NÈGRE. — L'essence.

LIZZIE. — Quoi ?

LE NÈGRE. — L'essence. (*Il fait un geste expli-atif.*) Ils y mettront le feu.

LIZZIE. — Je vois. (*Elle va à la fenêtre et tire les rideaux.*) Assieds-toi. (*Le nègre se laisse tomber sur une chaise.*) Il a fallu que tu viennes chez moi. Je n'en aurai donc jamais fini ? (*Elle vient sur lui presque menaçante.*) J'ai horreur des histoires, comprends-tu ? (*Tapant du pied.*) Horreur ! Horreur ! Horreur !

LE NÈGRE. — Ils croient que je vous ai porté tort, madame.

LIZZIE. — Après ?

LE NÈGRE. — Ils ne viendront pas me chercher ici.

LIZZIE. — Sais-tu pourquoi ils te font la chasse ?

LE NÈGRE. — Parce qu'ils croient que je vous ai porté tort.

LIZZIE. — Sais-tu qui le leur a dit ?

LE NÈGRE. — Non.

LIZZIE. — C'est moi. (*Un long silence. Le nègre la regarde.*) Qu'est-ce que tu en penses ?

LE NÈGRE. — Pourquoi avez-vous fait ça, madame ? Oh ! pourquoi avez-vous fait ça ?

LIZZIE. — Je me le demande.

LE NÈGRE. — Ils n'auront pas de pitié ; ils me fouetteront sur les yeux. Oh ! pourquoi avez-vous fait ça ? Je ne vous ai pas porté tort.

LIZZIE. — Oh ! si, tu m'as porté tort. Tu ne peux pas savoir à quel point tu m'as porté tort ! (*Un temps.*) Tu n'as pas envie de m'étrangler ?

LE NÈGRE. — Ils forcent souvent les gens à dire le contraire de ce qu'ils pensent.

LIZZIE. — Oui. Souvent. Et quand ils ne peuvent pas les y forcer, ils les embrouillent avec leurs boniments. (*Un temps.*) Alors ? Non ? Tu ne m'étrangles pas ? Tu as bon caractère. (*Un temps.*) Je te cacherai jusqu'à demain soir. (*Il fait un mouvement.*) Ne me touche pas : je n'aime pas les nègres. (*Cris et coups de feu au dehors.*) Ils se rapprochent. (*Elle va à la fenêtre,*

écarte les rideaux et regarde dans la rue.) Nous
sommes propres !

Le nègre. — Qu'est-ce qu'ils font ?

Lizzie. — Ils ont mis des sentinelles aux deux
bouts de la rue et ils fouillent toutes les maisons.
Tu avais bien besoin de venir ici. Il y a sûrement
quelqu'un qui t'a vu entrer dans la rue. (*Elle
regarde de nouveau.*) Voilà. C'est à nous. Ils
montent.

Le nègre. — Combien sont-ils ?

Lizzie. — Cinq ou six. Les autres attendent en
bas. (*Elle revient vers lui.*) Ne tremble pas. Ne
tremble pas, bon Dieu ! (*Un temps, à son bracelet.*) Cochon de serpent ! (*Elle le jette par terre
et le piétine.*) Saloperie ! (*Au nègre.*) Tu avais
bien besoin de venir ici. (*Il se lève et fait un
mouvement pour partir.*) Reste. Si tu sors, tu es
fait.

Le nègre. — Les toits.

Lizzie. — Avec cette lune ? Tu peux y aller,
si tu t'en ressens pour servir de carton. (*Un
temps.*) Attendons. Ils ont deux étages à fouiller
avant le nôtre. Je te dis de ne pas trembler. (*Long
silence. Elle marche de long en large. Le nègre
reste écrasé sur sa chaise.*) Tu n'as pas d'armes ?

Le nègre. — Oh ! non.

Lizzie. — Bon.

> *Elle fouille dans un tiroir et sort un
> revolver.*

Le nègre. — Qu'est-ce que vous voulez faire,
madame ?

Lizzie. — Je vais leur ouvrir la porte et les
prier d'entrer. Voilà vingt-cinq ans qu'ils me
roulent avec leurs vieilles mères aux cheveux

blancs et les héros de la guerre et la nation américaine. Mais j'ai compris. Ils ne m'auront pas
jusqu'au bout. J'ouvrirai la porte et je leur
dirai : « Il est là. Il est là mais il n'a rien fait ;
on m'a soutiré un faux témoignage. Je jure sur
le bon Dieu qu'il n'a rien fait. »

LE NÈGRE. — Ils ne vous croiront pas.

LIZZIE. — Peut se faire. Peut se faire qu'ils ne
me croient pas : alors, tu les viseras avec le revolver et, s'ils ne s'en vont pas, tu tireras dedans.

LE NÈGRE. — Il en viendra d'autres.

LIZZIE. — Tu tireras aussi sur les autres. Et
si tu vois le fils du Sénateur, tâche de ne pas le
rater, parce que c'est lui qui a tout manigancé.
Nous sommes coincés, non ? Et de toute façon,
c'est notre dernière histoire, parce que, je te le
dis, s'ils te trouvent chez moi, je ne donne pas
un sou de ma peau. Alors, autant crever en nom-
breuse compagnie. (*Elle lui tend le revolver.*)
Prends ça ! Je te dis de le prendre.

LE NÈGRE. — Je ne peux pas, madame.

LIZZIE. — Quoi ?

LE NÈGRE. — Je ne peux pas tirer sur des
blancs.

LIZZIE. — Vraiment ! Ils vont se gêner, eux.

LE NÈGRE. — Ce sont des blancs, madame.

LIZZIE. — Et alors ? Parce qu'ils sont blancs,
ils ont le droit de te saigner comme un cochon ?

LE NÈGRE. — Ce sont des blancs.

LIZZIE. — Pochetée ! Tiens, tu me ressembles,
tu es aussi poire que moi. Enfin, si tout le monde
est d'accord...

LE NÈGRE. — Pourquoi vous ne tirez pas, vous,
madame ?

LIZZIE. — Je te dis que je suis une poire. (*On entend des pas dans l'escalier.*) Les voilà. (*Rire bref.*) On a bonne mine. (*Un temps.*) File dans le cabinet de toilette. Et ne bouge pas. Retiens ton souffle.

> *Le nègre obéit, Lizzie attend. Coup de sonnette. Elle se signe, ramasse le bracelet et va ouvrir. Des hommes avec des fusils.*

SCÈNE III

LIZZIE, TROIS HOMMES

1ᵉʳ HOMME. — Nous cherchons le nègre.

LIZZIE. — Quel nègre ?

1ᵉʳ HOMME. — Celui qui a violé une femme dans le train et qui a blessé le neveu du Sénateur à coups de rasoir.

LIZZIE. — Nom de Dieu, c'est pas chez moi qu'il faut le chercher. (*Un temps.*) Vous ne me reconnaissez pas ?

2ᵉ HOMME. — Si, si, si. Je vous ai vue descendre du train avant-hier.

LIZZIE. — Parfait. Parce que c'est moi qu'il a violée, comprenez-vous. (*Brouhaha. Ils la regardent avec des yeux pleins de stupeur, de convoitise et d'une sorte d'horreur. Ils reculent légèrement.*) S'il s'amène, il tâtera de ça.

> *Ils rient.*

UN HOMME. — Vous n'avez pas envie de le voir pendre ?

LIZZIE. — Venez me chercher quand vous l'aurez trouvé.

UN HOMME. — Ça ne traînera pas, mon petit sucre : on sait qu'il se cache dans cette rue.

LIZZIE. — Bonne chance.

> *Ils sortent. Elle ferme la porte. Elle va déposer le revolver sur la table.*

SCÈNE IV

LIZZIE, puis LE NÈGRE

LIZZIE. — Tu peux sortir. (*Le nègre sort, s'agenouille et baise le bas de sa robe.*) Je t'ai dit de ne pas me toucher. (*Elle le regarde.*) Il faut tout de même que tu sois un drôle de paroissien pour avoir toute une ville après toi.

LE NÈGRE. — Je n'ai rien fait, madame, vous le savez bien.

LIZZIE. — Ils disent qu'un nègre a toujours fait quelque chose.

LE NÈGRE. — Jamais rien fait. Jamais. Jamais.

LIZZIE, *elle se passe la main sur le front.* — Je ne sais plus où j'en suis. (*Un temps.*) Tout de même, une ville entière, ça ne peut pas avoir complètement tort. — (*Un temps.*) Merde ! Je n'y comprends plus rien.

LE NÈGRE. — C'est comme ça, madame. C'est toujours comme ça avec les blancs.

LIZZIE. — Toi aussi, tu te sens coupable ?

LE NÈGRE. — Oui, madame.

LIZZIE. — Et pourtant tu n'as rien fait ?

LE NÈGRE. — Non, madame.

LIZZIE. — Mais qu'est-ce qu'ils ont donc, pour qu'on soit toujours de leur côté ?

LE NÈGRE. — Ce sont des blancs.

LIZZIE. — Je suis une blanche, moi aussi. (*Un temps. Bruit de pas dehors.*) Ils redescendent. (*Elle se rapproche de lui instinctivement. Il tremble, mais il lui met la main autour des épaules. Les pas décroissent. Silence.*) (*Elle se dégage brusquement.*) Ah, dis donc ? Ce qu'on est seuls ! Nous avons l'air de deux orphelins. (*On sonne. Ils écoutent en silence. On sonne encore.*) File dans le cabinet de toilette.

> *Coups dans la porte d'entrée. Le nègre se cache. Lizzie va ouvrir.*

SCÈNE V

FRED, LIZZIE

LIZZIE. — Tu es fou ? Pourquoi tapes-tu dans ma porte ? Non, tu n'entreras pas, tu m'en as assez fait voir. Va-t'en, va-t'en, salaud, va-t'en ! va-t'en ! (*Il la repousse, ferme la porte et la prend par les épaules. Long silence.*) Alors ?

FRED. — Tu es le Diable !

LIZZIE. — C'est pour me dire ça que tu voulais

enfoncer ma porte ? Quelle tête ! D'où sors-tu ? (*Un temps.*) Réponds.

FRED. — Ils ont attrapé un nègre. Ce n'était pas le bon. Ils l'ont lynché tout de même.

LIZZIE. — Après ?

FRED. — J'étais avec eux.

Lizzie siffle.

LIZZIE. — Je vois. (*Un temps.*) On dirait que ça te fait de l'effet de voir lyncher un nègre.

FRED. — J'ai envie de toi.

LIZZIE. — Quoi ?

FRED. — Tu es le Diable ! Tu m'as jeté un sort. J'étais au milieu d'eux, j'avais mon revolver à la main et le nègre se balançait à une branche. Je l'ai regardé et j'ai pensé : j'ai envie d'elle. Ce n'est pas naturel.

LIZZIE. — Lâche-moi. Je te dis de me lâcher.

FRED. — Qu'est-ce qu'il y a là-dessous ? Qu'est-ce que tu m'as fait, sorcière ? Je regardais le nègre et je t'ai vue. Je t'ai vue te balancer au-dessus des flammes. J'ai tiré.

LIZZIE. — Ordure ! Lâche-moi. Lâche-moi ! Tu es un assassin.

FRED. — Qu'est-ce que tu m'as fait ? Tu colles à moi comme mes dents à mes gencives. Je te vois partout, je vois ton ventre, ton sale ventre de chienne, je sens ta chaleur dans mes mains, j'ai ton odeur dans les narines. J'ai couru jusqu'ici, je ne savais pas si c'était pour te tuer ou pour te prendre de force. Maintenant, je sais. (*Il la lâche brusquement.*) Je ne peux pourtant pas me damner pour une putain. (*Il revient sur elle.*) C'est vrai ce que tu m'as dit, ce matin ?

LIZZIE. — Quoi ?

FRED. — Que je t'avais donné du plaisir ?

LIZZIE. — Laisse-moi tranquille.

FRED. — Jure que c'est vrai. Jure-le ! (*Il lui tord le poignet. On entend du bruit dans le cabinet de toilette.*) Qu'est-ce que c'est ? (*Il écoute.*) Il y a quelqu'un ici.

LIZZIE. — Tu es fou. Il n'y a personne.

FRED. — Si. Dans le cabinet de toilette.

> *Il marche vers le cabinet de toilette.*

LIZZIE. — Tu n'entreras pas.

FRED. — Tu vois bien qu'il y a quelqu'un.

LIZZIE. — C'est mon client d'aujourd'hui. Un type qui paie. Là. Es-tu content ?

FRED. — Un client ? Tu n'auras plus de client. Plus jamais. Tu es à moi. (*Un temps.*) Je veux voir sa tête. (*Il crie.*) Sortez de là !

LIZZIE, *criant*. — Ne sors pas. C'est un piège.

FRED. — Sacrée fille de putain. (*Il l'écarte violemment, va vers la porte et l'ouvre. Le nègre sort.*) C'est ça, ton client ?

LIZZIE. — Je l'ai caché parce qu'on veut lui faire du mal. Ne tire pas, tu sais bien qu'il est innocent.

> *Fred tire son revolver. Le nègre prend brusquement son élan, le bouscule et sort. Fred lui court après. Lizzie va jusqu'à la porte d'entrée par où ils ont disparu tous deux et se met à crier.*

LIZZIE. — Il est innocent ! Il est innocent ! (*Deux coups de feu, elle revient, le visage dur. Elle va à la table, prend le revolver. Fred revient. Elle se tourne vers lui, dos au public, en tenant son arme derrière elle. Il jette la sienne sur la*

table.) Alors, tu l'as eu ? (*Fred ne répond pas.*)
Bon. Eh bien, à présent, c'est ton tour.

Elle le vise avec le revolver.

FRED. — Lizzie ! J'ai une mère.

LIZZIE. — Ta gueule ! On m'a déjà fait le coup.

FRED, *marchant lentement sur elle.* — Le premier Clarke a défriché toute une forêt à lui seul ;
il a tué seize Indiens de sa main avant de périr
dans une embuscade ; son fils a bâti presque toute
cette ville ; il tutoyait Washington et il est mort
à Yorktown, pour l'indépendance des États-Unis ;
mon arrière-grand-père était chef des Vigilants,
à San Francisco, il a sauvé vingt-deux personnes
pendant le grand incendie ; mon grand-père est
revenu s'établir ici, il a fait creuser le canal du
Mississipi et il a été gouverneur de l'État. Mon
père est sénateur ; je serai sénateur après lui :
je suis son seul héritier mâle et le dernier de mon
nom. Nous avons fait ce pays et son histoire est
la nôtre. Il y a eu des Clarke en Alaska, aux
Philippines, dans le Nouveau Mexique. Oseras-tu
tirer sur toute l'Amérique ?

LIZZIE. — Si tu avances, je te bute.

FRED. — Tire ! Mais tire donc ! Tu vois, tu ne
peux pas. Une fille comme toi *ne peut pas* tirer
sur un homme comme moi. Qui es-tu ? Qu'est-ce
que tu fais dans le monde ? As-tu seulement connu
ton grand-père ? Moi, j'ai le droit de vivre : il y
a beaucoup de choses à entreprendre et l'on m'attend. Donne-moi ce revolver. (*Elle le lui donne, il
le met dans sa poche.*) Pour ce qui est du nègre,
il courait trop vite : je l'ai raté. (*Un temps. Il lui
entoure les épaules de son bras.*) Je t'installerai
sur la colline, de l'autre côté de la rivière, dans

une belle maison avec un parc. Tu te promèneras dans le parc, mais je te défends de sortir : je suis très jaloux. Je viendrai te voir trois fois par semaine, à la nuit tombée : le mardi, le jeudi et pour le week-end. Tu auras des domestiques nègres et plus d'argent que tu n'en as jamais rêvé, mais il faudra me passer tous mes caprices. Et j'en aurai ! (*Elle s'abandonne un peu plus dans ses bras.*) C'est vrai que je t'ai donné du plaisir ? Réponds. C'est vrai ?

LIZZIE, *avec lassitude.* — Oui, c'est vrai.

FRED, *en lui tapant la joue.* — Allons, tout est rentré dans l'ordre. (*Un temps.*) Je m'appelle Fred.

Rideau.

TABLE

Ce volume,
le quarante-huitième de la collection Soleil,
a été réimprimé à quatre mille exemplaires
numérotés de D 1 à D 4 000
et tiré sur bouffant alfa Calypso
des Papeteries Libert
sur les presses d'Emmanuel Grevin et Fils,
Imprimerie de Lagny.
La reliure a été exécutée par Babouot à Paris
d'après la maquette de Massin.

EXEMPLAIRE D 1635

Édit. : 11616 ; dép. lég. : 1947 ; imp. 8434 ; imprimé en France.